人生的四大祕密

財富的祕密

The Ten Secrets of Abundant Wealth

亞當・傑克遜 (Adam J. Jackson)◎著　周思芸◎譯

我要向在我寫作這本書期間給予我協助的所有人致謝。特別是以下幾位：

我的版權代理人莎拉．麥古和她的助理喬治亞．格洛弗，謝謝他們為我所做的努力和種種的設想。

始終鼓勵我並給予我靈感的母親，引導我、鼓勵我的父親，和我親愛的家人與朋友們。

最後——我的妻子凱倫，也是我最親密的朋友和編輯。她對我及我的工作充滿信心，再多的言語都無法表達我對她的愛。

目錄

當財富降臨時，
來得如此快、如此多，
讓人不禁懷疑，
過去那些年來，
它們都躲到哪裡去了？

——拿破崙

超過百分之九十的人，在六十五歲時不是離開人世，就是破產！只有百分之九的男人和百分之二的女人經濟獨立，而真正富有的人還不到百分之一。為什麼？那百分之一的人究竟比其他人多知道些什麼？他們比較聰明嗎？教育程度比較高嗎？工作比較努力嗎？還是只是他們比較幸運，受到命運之神特別眷顧？

這些問題困擾了我好多年。每個人都渴求得到財富，為什麼只有少於百分之一的人可以如願呢？為什麼當人們想要實現夢想時，會有那麼多的掙扎、痛苦與無力感？

直到有一天，我遇到了一位睿智的中國老人，他告訴我關於財富的祕密——十個可以讓人在有生之年獲得財富，並且財源滾滾的法則。

「財富」不是指銀行帳戶裡有多少錢，或擁有多少價值不菲的財產，而是能多愜意地享受自己理想中的生活。我發現，不管是老是少、結婚與否、哪種膚色，每個人都擁有使自己致富的力量；所有外在因素，諸如經濟狀況、天氣或政府政策……等，都不能掌控我們的人生，除了我們自己！只有當我們開始積極控制一切，為自己的生命負責時，我們才能理解，自己才是唯一有力量去達成自己夢想的人。

本書中的故事全部取材自現實生活的真人真事，只是改變了人物的真實姓名（只有中國老人是我將所遇到過的多位睿智長者綜合設定的角色)。當然，我希望他們的故事能夠激勵讀者，努力創造出屬於自己的財富。

公園漫步

二月的第一個星期一，清晨六點的戶外仍然又暗又冷。年輕人走出前門，沿著街道走去。街上的路燈還亮著，間或有些車輛冒著熱氣在馬路上穿梭。過去他每天早上竭力在八點起床，最近幾個月來，他卻感覺睡眠嚴重不足，休息時間完全被擾亂而變得零零碎碎了。

他穿過馬路，爬上山丘往公園走去，這是他父親以前常走的固定路線：輕快地穿過公園，讓心肺吸收清晨的新鮮空氣，使頭腦清醒。「一日之計在於晨，日出時到公園散散步，那些煩擾你的問題都會在這裡找到答案、新點子或解決方法。」他父親總是這樣建議。

「就好像天使在向你吹口哨一樣！」這是他父親的結論。

年輕人已經持續早晨散步的這個習慣兩個星期了，可是，他沒有聽見過天使吹口哨，也沒有找到什麼新點子或好答案，他的問題還是沒有得到解決。

行經那排獨立的豪華別墅時，他欣羨地想，如果有足夠的財富讓自己入住這種豪華別墅就好了，那不是太棒了嗎？

他出神地想著，有那麼幾秒鐘，住在這房子裡的幻想在他腦中忽隱忽現；柔和的燈光、舒適的房間，多餘的雙人房可供朋友或家人來暫住；陽光普照的日子裡坐在花園裡曬太陽，更是他理想中的天堂景象。

走過最後一間別墅時，他的白日夢也結束了。現實中，他連一間小小的洋房都買不起，更別說是這種獨立別墅；除非他中了彩券，否則買豪宅的大夢就甭作了。總之，生活於他而言就是、總是、可能永遠都是，一場磨難。

年輕人繼續走上公園裡的一條小徑，走著走著，突然深切感覺到，命運根本在跟他作對；如果他出生在一個富有的家庭，如果他夠幸運，或有別人那種成功的機會……

年輕人的問題其實跟大多數人一樣，每到月底一定超支，到哪裡都有賬單在等著他。天知道他是怎麼活過來的，反正，他就這麼生存下來了。過去幾個月，隨著經濟形勢日益蕭條，他的日子愈來愈難過了；工作時間加長，所得卻不見增加，他在可預見的未來恐怕是很難翻身了。那些曾經夢想過的事，現在都只能丟在一邊。

他曾經夢想成為有名的作家，擁有自己的房子和家庭，但他現在的處境跟那個夢想差了十萬八千里，他幾乎覺得這個夢想不可能實現了。如果他再年輕一點，就有可能辭去這份工作，去做一些自己感興趣的事。然而，隨著賬單愈積愈多，他已經不能沒有這份工作。

他被困住了，困在一個非但薪水不高，而且還不感興趣的工作裡。辦公室裡的同事似乎都對工作提不起勁兒，工作對他們來說，一如對他而言，工作的意義只不過是餬口罷了。

就這樣，年輕人放棄了過去的夢想，只敢希望日子能繼續過下去。他在公園裡不停地往前走，祈禱著如果真的有天使，總該有一個對他吹吹口哨吧！只要一個小點子、一點小刺激，也可能給他的命運帶來或多或少的改變。

年輕人想得出神，完全沒有注意到太陽已經爬到公園東邊的橡樹上方，也沒有聽見知更鳥的歌聲，更沒有發現一位老人已經走到他身旁。

相遇

「早安！」一個聲音把年輕人從幻想中喚醒；他轉過頭，發現一位個子矮小，頭有點禿，身高只及他肩頭的中國老人穿著黑色運動服站在身旁。

「早安！」年輕人微笑著對老人打招呼。

「可以和你一起散步嗎？」老人問道。

「可以啊，只要你跟得上。」年輕人回答。

老人笑了笑說：「我盡量。」他加快腳步，跟年輕人維持並肩而行的速度。

「你看起來好像心事重重，是嗎？」老人問。

「還好。」年輕人頭也不回地說。

「你知道嗎？在我的國家，我們相信每一個問題也同時會帶來一份禮物，每一個危難也都蘊含等值或更有價值的種子。」

「哼！」年輕人從鼻孔吐出不太同意的聲音。

「這可以用於解決任何問題……包括金錢問題。」老人說。

年輕人聽見老人提到「金錢」，馬上屏住呼吸，回頭問老人：「金錢問題會帶來什麼意外的禮物？」

「金錢問題打開了通往財富的道路，使你的夢想實現。」老人答道。

「這怎麼可能？」年輕人不太同意。

「你知道許多世界上最富有、最偉大的人，都曾經破產或有過一文不名的時候嗎？」老人說。

「不知道。」年輕人搖頭。

「亞伯拉罕．林肯曾在三十五歲的時候宣告破產，但他後來卻成為美國歷史上擁有最多財富和權力的人；奧格．曼迪諾曾經是個居無定所的流浪醉漢，後來卻成為暢銷書作家；而華德．迪士尼在創造他的迪士尼王國之前，也曾經數次破產啊！」

年輕人感到十分震驚，因為他一直以為身無分文或破產這種事只會發生在失敗者身上。

「他們是怎麼做到的？」年輕人迫不及待地追問，「他們又如何從那種逆境中重新站起來呢？」

「很簡單！」老人微笑著說，「人們在舒適的生活中不會去追尋更有意義的目標，只有受到刺激或被逼迫，才會想到去改變生活；有些人因為受到鼓勵、刺激而做了改變，更多的人是因為不得已才被迫改變。你看，只有在挫敗、絕望的時候，你才會向自己提出問題，而這些問題會改變你未來的命運。」

年輕人仍帶著一臉難以置信的疑惑表情。

「我問你——」老人繼續說，「剛才遇見我之前，你在想什麼？」

「我也不知道，大概是在想，為什麼我會是現在這樣？」

「結果呢？到底是為什麼？」

「我也不知道。」年輕人坦承。

「這就對了！」老人大聲說，「這個問題的答案是『不知道』，或者更糟，是個錯誤的答案。這是以『為什麼』為開頭提問時經常發生的現象。你的腦子在你提出問題時，一定會幫你找出一個答案。可是用『為什麼』來發問，經常導致沒有希望、沒有解決方法、沒有未來。『我為什麼會發生這種事？』『我為什麼會處在這麼糟的狀況中？』『我為什麼不能領先？』這些問題都是無解的。

「聰明的人會問不一樣的問題，他們會用『怎樣？』和『什麼？』來提問——『我怎樣才能改善生活品質？』或更好的問題是：『我需要做什麼才能創造財富？』」

「我就是不知道。」年輕人有些急躁了，「我需要的就是答案，而不是問題。」

「可是要找到正確的答案，就必須先提出正確的問題。就正如《聖經》上所說的，『去尋找，你就會找到；去問，你就會有答案。』」老人回答。

「聽起來是不錯！可是生命並沒有這麼簡單。」

「你怎麼知道？你試過了嗎？」老人接著又說，「也許生命比你想像中的簡單呢！」

「哎，我可不覺得它簡單，」年輕人沮喪地說，「不管做什麼，我從來沒有成功過；我試過所有的方法，可是都行不通。」

「別忘了解決問題的黃金定律。」老人說。

「那是什麼？」

「當你認為自己已經竭盡全力時，請記住一件事情——你並沒有真的完全盡力！」

「如果是這樣當然很好，但我就是不知道還能做什麼。」年輕人說，「我從來沒擁有過財富，可能也永遠不會擁有。我想我真的沒有條件。」

「追求財富需要什麼條件嗎？」老人反問道。

「我也不知道。至少，需要一點本錢才能開始賺錢吧？」

「你怎麼會這麼想呢？你知道嗎？希臘船王歐納西斯沒有大學文憑，也沒有闊親戚，只靠兩百美元白手起家，創立事業，最後居然成為世界上赫赫有名的大富豪。」

年輕人聳聳肩說：「他是運氣好。」

「大多數富人開始創業的時候並不富有。安妮塔．羅蒂克的美體小舖是從製造衛浴用品開始的，世界首富比爾．蓋茲的財富則是在電腦工業革新時代建立起來的。暢銷書作家安東尼．羅賓是世界上最傑出的潛能訓練師，也曾因財務破產而住在一間小公寓裡，但他只用一年時間就扭轉命運，變成了百萬富翁，還買了一棟面向大海的萬坪古堡。你真覺得他們的成功都是運氣使然？」

「好吧！可能不盡然，但還是得靠一點點運氣吧？不是嗎？」年輕人問道。

「這些富人有一個非常重要的共同點，那就是『責任感』！他們會對自己的決定和行為負責，不會把問題歸咎於經濟因素、政府、天氣或小孩身上。擁有財富的人不會守株待兔，等待幸運時刻或機遇的來臨；他們會走出門去，創造一切。他們不會找藉口，只會找解決辦法。他們對自己承諾要成功。」

年輕人說：「你或許是對的，但我總是在財務問題上受挫，這可能是我的命吧！」

「命運好壞是你自己造成的。」老人說，「你從不曾富有過，並不表示你永遠都不會富有。生命的課題中，有一個最重要的課題是你必須學會的——未來並不需要跟過去一樣。如果你總是得到相同的結果，那是因為你總是做同樣的事情。」

兩個人沿著湖畔走向公園北岸，兩個滿臉通紅的跑步者從他們身旁經過，在空氣中留下一股濕潤的氣息。年輕人仔細回味著中國老人所說的話，不無道理，然而，他仍然心有存疑。

「你不需要用錢來賺錢，」老人繼續解釋說，「你也不必非要有大學文憑、闊親戚或等待什麼幸運天使降臨，你只需要用已經擁有的資源，就可以創造生命中的財富。」

「你真的認為有這麼簡單嗎？」年輕人問。

「當然，沒什麼幸運不幸運這回事。你跟別人一樣，都擁有創造命運的力量。」

「可是我想，你的意思該不是指每個人都可以成為富人吧？」

「我就是這個意思啊！你知道嗎？這個世界上的大多數人已經夠富有了，只是大家都不知道哩！」

「這是什麼意思呢？」年輕人問道，「人們如果真的擁有什麼財富，自己一定會知道的，怎麼可能不知道呢？」

「你真的這麼想？」老人說，「可是很多人都不這麼認為。你就是一個典型的例子啊。你之所以認為自己很窮，是因為你有付不完的賬單？」

「對啊！」年輕人困惑地說，「可是……你怎麼知道？」

「其實你已經擁有許多個世紀前，甚至是現在某些地方還沒有的東西，譬如乾淨、便捷的自來水；你只要透過圖書館，就可以便利地取得許多珍貴的資料；你感興趣的任何資料，甚至是被世界其他地區查禁的文獻資料，都可以從圖書館中找到；你也有足夠的食物可吃、各式各樣的衣服可穿；你可以藉由電話跟世界各地的朋友聯繫，每天在家裡收看各類電視節目；你還可以買到五花八門的食物，這些食物可能五十年前的人們還聞所未聞呢！

「而各種交通工具，包括汽車、火車和飛機，在半個世紀前，是有錢人才可能接觸、擁有的。所以，跟歷史上千千萬萬的人相比，你算是相當富有，甚至是超越前人所能想像的富有。」

「金錢，並不等於財富。」老人繼續說，「金錢通常也不足以衡量財富。事實上，金錢本身是沒有價值的，只不過是一疊紙張或一個個金屬圓片，有一些圖案或人頭在上面而已。金錢只有用來換取物品時才會產生價值，否則，當你被困荒島，即使擁有幾百萬元鈔票又有什麼用呢？

「一個月收入達六位數的成功商人，工作的重擔剝奪了他和孩子們相處的時間，你想他能多富有？一個罹患絕症的億萬富翁和一個銀行帳戶空空如也卻身心健康的人，誰比較富有？

「真正的財富，只能以生活的品質來衡量；只有當你能依照自己的方式生活時，你才算是真正擁有財富。」

兩個人沿著小徑穿過一片樹林，樹枝上正冒出一些早發的嫩芽，嫩綠的顏色預示著春暖花開的日子即將到來。他們沉默了一會兒，年輕人開口了：「可是，金錢可以提高生活品質。」

「對，使用得當的話，金錢的確可以提高生活品質。」老人表示認同，並接著說道，「可是許多人以為金錢可以解決所有問題。」

「金錢的確可以解決我大部分的問題。」年輕人笑著說。

「你可以這麼想，不過我向你保證，金錢不能解決你的任何問題。」老人肯定地說。

老人的話惹怒了年輕人，他對老人自以為瞭解困擾他的問題感到生氣。不過，在年輕人提出辯解前，老人繼續說：「你如果贏了幾千萬美金，會怎麼做？」

「我會還清所有的債務。」

「然後呢？」

「嗯……我想想。首先，我會舉辦一個慶祝會，招待所有的親朋好友。然後，我要買一幢有游泳池和網球場的新房子、一輛新車、一台大電視機和全新的傢俱。然後，跟我的家人去度假，也會把錢送給一些需要的朋友們。」

「然後呢？」老人追問。

「我不知道。」年輕人坦承，「我還沒有仔細想過這個問題。」

「你剛剛說的，就跟許多夢想某天能發財的人所想的一樣。可是從你的回答就可看出，為什麼這些人永遠無法得到財富。」

「這是什麼意思？」年輕人打斷老人的話說，「的確有很多人中了彩券，也有很多人一夕之間變成千萬富翁啊。」

「你說得也沒錯，可是這些人的財富都轉瞬即逝，最終也都會跟中彩券之前一樣，身無分文！」

年輕人使勁搖頭，覺得難以置信。

「這是真的。」老人繼續說，「你知道他們為什麼會變回窮光蛋嗎？因為他們沒有學會如何創造和經營財富，所以擁有的財富很快就消耗殆盡。這就好像有人送給他們一株很珍貴的植物，可是他們卻不知道怎樣照顧：它需要哪一種土壤？要在什麼氣候下生長？需要多少水分？澆水的頻率如何？以及它可能有什麼蟲害？因此，珍貴的植物很快就會枯萎。

「換言之，如果他們掌握栽培植物的常識，瞭解植物的需求，知道如何照顧、繁衍它，那麼，他們希望得到多少果實，就可以收穫多少果實。

「同理，每個人都有創造財富的能力，可是我們得先學會創造和經營財富的祕訣。如果我們不知道如何掌控金錢，金錢是不會帶來任何價值的。你記得《聖經》裡那個浪子的故事嗎？」

年輕人好像聽過這個故事，但記不起任何細節。

老人說：「一個有錢的地主有兩個兒子，小兒子對經營父親的事業毫無興趣，卻需要父親的財產，好讓他可以到世界各地去冒險。對於兒子的想法，父親雖覺得很傷心，但還是把財產給了他，並看著他離去。這兒子享用了許多花錢買來的好東西，可是沒過多久，他的錢就花光了，只好一文不名地回到家鄉。

「這個揮霍無度的兒子帶著大筆金錢開始他的旅程，因為沒有學會如何創造財富，很快就花光了所有的錢。」

兩個人走到樹林的盡頭，又順著一條小徑往山頂走去。

「你看看，」老人說，「金錢消耗起來是很快的。你想要得到財富，就必須對自己理想中的生活做出某種程度的構想。」

「對生活做出某種程度的構想？怎麼做呢？」年輕人問。

老人微笑著說：「你必須明白，萬物皆有其法。譬如說自然的法則，其中有許多是我們都知道，例如萬有引力定律，一個蘋果從樹上掉下來，一定會落地；我們也知道，沒有氧氣，地球上所有的生物都無法生存。但除此之外，還有許多法則不為人知，譬如對大部分人而言，創造財富的法則還是祕密呢！」

現在，他們距離山頂還有一半的路程，年輕人的呼吸開始急促起來，他身邊的老人卻健步如飛。當他們爬上山頂時，年輕人轉身望著老人。

「那麼，」他喘著氣說，「那祕密是什麼？」

「創造財富的祕密跟所有自然界的祕密一樣，每個人都有機會擁有，你唯一需要做的，就是向適當的人提出正確的問題。拿著，這個可以幫你。」老人遞給了年輕人一張小紙條。年輕人急切地打開紙條，出乎他的意料，上面並沒有寫什麼祕密，沒有智慧的語錄，也沒有神奇的祕方，只有一排人名和電話號碼。

等他再次抬起頭來，老人已經不見了。年輕人迅速環顧四周，只看見附近有兩個人在悠閒地遛狗，除此之外別無他人。

「對不起，」年輕人走向那兩個遛狗的人，問道：「你們有沒有看到剛剛跟我一起走的老人到哪裡去了？」

這兩位有些年長的男女互望了一眼，男人說：「我沒看到有人跟你一起走啊！」身旁的女士也搖搖頭說：「沒看到。」

「可是，你們一定有印象，我剛剛跟一位中國老人走在一起，他穿著一件黑色的運動夾克。」年輕人堅持道。

「噢，我很抱歉，」男人重複說，「我們真的沒有看到有誰跟你在一起。」

年輕人循著剛才走過的路徑，慢慢地往回走。他完全無法理解，那老人怎麼可能一轉眼就消失了呢？而且，為什麼遛狗的人都沒有看見他呢？或許，這一切都是他自己幻想出來的，是他自己做的白日夢。可是，他捏捏口袋裡的紙條，紙條證明這不可能是夢啊！中國老人確實曾跟他在一起，這張寫著十個人名和電話號碼的紙條就是證據！

祕密1

信念的力量

年輕人回到家，馬上打電話給紙條上的所有人。剛打前幾個電話時，還有些不好意思，不確定他們對於他這個陌生人的來電，以及他與中國老人的奇遇會有什麼反應。事實卻證明，他無需擔憂，因為他們都知道中國老人和關於財富的祕密，甚至非常歡迎他的來電。於是，很快地就與他們分別相約見面。

第一個和年輕人見面的，是理查．艾博拜。艾博拜先生的時間表雖已排滿，但還是同意抽空在第二天下午五點鐘與年輕人見面。

艾博拜先生住在城市郊區的一棟大廈頂樓。年輕人一走進屋裡，立刻被窗外的景致——整座城市籠罩在夕陽下的美景吸引了；大樓南向的整面牆都鑲了落地窗，城市景觀一覽無遺：夕陽餘暉將城市的天際染成了琥珀色，遠方的辦公大樓透出星星般閃亮的燈光，車燈和路燈也在腳下匯流成一條長龍。

「實在太美了！」年輕人讚歎道，「我從來都不知道這座城市竟是這麼壯觀。」

「是啊，確實很壯觀。」艾博拜先生笑著說，「我就是看上這個景觀才買下這房子，無論何時，我都可以在這窗前一坐就是好幾個小時。」

年輕人判斷艾博拜先生大約五十歲，雖然身材不高，卻體格強健，淡色的頭髮下是一雙明亮的藍眼睛，身上穿著棉質卡其色長褲，配上白色翻領襯衫，輕便又不失品味。

年輕人坐了下來，艾博拜先生開口問道：「你對創造財富的祕密有興趣，是嗎？」

「你認為這祕密真的存在嗎？」年輕人反問道。

「喔，當然囉！」艾博拜先生答道。

「這祕密到底是什麼呢？」年輕人又問。

「就是十項永恆不變的法則，無論任何人使用它時，都能夠藉此創造出自己的財富，而且是源源不絕的財富。」

「每個人都可以嗎？你確定？」年輕人謹慎地問。

「絕對是！」艾博拜先生點頭說道。

「可是，如果每個人都有能力擁有財富，為什麼還有那麼多人為生計煩惱呢？」

「不該說每個人都有能力，」艾博拜先生說，「應該說，每個人都要『相信』自己有能力做到。事實上，我們都有能力完成一些近乎奇蹟的事情，關鍵只在於我們是否有自信。

「我曾看過一個表演，一位催眠師從觀眾當中選出好幾個人做催眠試驗。催眠師請其中一名觀眾躺到桌上，然後對他進行催眠，告訴他，他的身體像塊鋼板一樣堅硬。接著，催眠師隨即搬出兩張椅子，分別放在這名觀眾的頭部和腳部，以支撐他的身體。然後他把桌子移開，這名觀眾的身體雖然僅由兩張椅子支撐著頭腳，卻還能保持平躺在桌上的姿勢，身體就真的如同鋼板一樣堅硬。這是什麼原因呢？就是因為他相信。

「之後，在同一個表演裡，其他人也被催眠了。這一次，催眠師說，他們無法拿起桌上的鋼筆；催眠師告訴他們，這枝鋼筆比兩噸的卡車還重，無論如何都不可能拿得起來。催眠師說：『可以試試看，但這支筆無論如何都動不了。』

「這些人輪流去拿這枝筆，我尤其記得其中一個長得高大魁梧，很像健美先生的人。當他嘗試拿起這枝筆時，因為使力，整張臉漲得通紅，額頭不斷冒出一顆顆汗珠，手臂的肌肉緊緊地鼓起來，青筋暴露……可是，終究還是無法拿起筆！原因不在於他拿不動一枝筆，而在於他『不相信』自己有能力拿起來。

「所以，你有什麼能力並不重要。重要的是，相信自己有能力！這就是財富的第一個祕密——信念的力量。」

「我們的信念？」年輕人感到疑惑，「我不懂。信念跟財富有什麼關係呢？」

「如果一個健康強壯的男人只因為不相信自己可以拿起一枝筆，就真的拿不起筆來，那麼你認為，一個人打心眼裡不相信自己可以致富的人，還有什麼機會可以變成有錢人呢？

「十五年前，我雖然沒有什麼豪宅、鉅款，但生活過得也還算安逸。有一天，公司裁員，我突然間沒了工作，失去了收入來源，但還有房屋貸款及一堆生活開銷要支出，一時之間我根本不知道該怎麼過下去。有一天晚上，我睡不著，於是出門沿著河岸散步。就在那時，我遇見了改變我一生的人——一位中國老人！」

「然後呢？」年輕人急切地想知道關於中國老人的事。

「他跟我說了一句直到現在我還記憶猶新的話：『每一個逆境都蘊藏一顆等值或更大價值的種子。』」

「他也跟我說過一樣的話。」年輕人大叫起來。

艾博拜點點頭，繼續說：「那時我並不明白這句話的意思。你想想看，我丟了工作，等於失去了賴以維生的經濟來源。這樣絕望的境況怎麼可能帶來什麼有價值的東西呢？可是現在看來，那的確是發生在我身上最好的一件事。因為那樣的處境強迫我必須去改變自己的生活，去做一些除非這件事情發生，否則我永遠不會去做的改變。

「我一直想要創業，當自己的老闆，但一直到被裁員之後，我才有機會去做這件事。學會財富的祕密之後，我在家設立了一家管理顧問公司。第一年我就賺了雙倍於以前那份工作的收入。」

「真的嗎？你沒有開玩笑吧？」年輕人吃驚地喊道，「你真的是運用財富的祕密才成功的嗎？」

「那當然！」艾博拜先生肯定地說，「十九世紀時，美國心理學家和哲學家威廉・詹姆斯就說過，他那個時代最偉大的發現，就是人類可以簡單地透過改變他們的心理狀態來改變生命。這點是千真萬確的。不管你對自己的生命寄予何種希望；健康快樂、擁有愛情，或者成為億萬富翁，你必須做的第一件事，就是去檢驗你的態度和信念，想想自己是否認為這些是可能的。如果你不相信某件事可能成真，你就不太可能去實現它！」

年輕人拿出記事本和筆，問道：「你不介意我記筆記吧？」

「喔！當然不會！記筆記是個不錯的方法。」艾博拜先生微笑著繼續說，「你知道嗎？在醫學上有一個實驗，一百個得了相同疾病的人，如果給他們同一種裹著糖衣的膠囊，然後告訴他們說這是可以治病的特效藥，有百分之四十的病人在服藥之後會痊癒，只因為他們相信這種藥可以治療他們的疾病。但是，一旦病人被宣告得了不治之症，病情通常很快就會惡化，因為他們真的相信自己沒救了。

「如果你覺得自己沒有吸引力，你想你還有多少機率可以得到一份恆久的愛情？你與別人共處時，可能感到局促不安；在宴會上總是獨自坐在角落，想盡辦法讓自己不被注意；即使遇見一個被你深深吸引的人，你也可能覺得自己不夠好，配不上對方。

在我們生活的各個層面，影響力最大的，就是我們的潛意識信念。其實，你所賺的金錢，通常就意謂著你對自己價值的認定。」

「等等，」年輕人坐直身子說，「我沒聽清楚，你是說……」

「你對以前的薪資滿意嗎？」艾博拜先生問。

「嗯……不！不怎麼滿意。」年輕人回答。

「那你為什麼不要求加薪呢？」

「因為我不覺得他們會給我加薪。」

「如果你不要求的話，加薪就更不可能了。」

「這倒是。」年輕人說，「可是他們有時候也會給我加薪，這又是為什麼？」

「對他們來說，當你的價值高於你現在的薪資時，他們就可能給你多一些。但很顯然的，你並不相信自己比現在的薪資更值錢。上個星期我面試一個人，也已經準備以年薪四萬英鎊起薪聘用他，因為從資歷和能力看，他都非常適合這個職位。但是當我問他期待多少薪資時，他卻說兩萬英鎊。」

年輕人不停記著筆記，艾博拜先生繼續說：「生活狀況就是反映信念的一面鏡子，如果你不相信自己也有富裕的一天，那麼富裕的日子恐怕永遠不會到來。其實，富人和窮人最大的不同，不在於他們的銀行帳戶有多少存款或有多少財產。」

「那在於什麼？」年輕人好奇地問。

「他們的信念！富人對自己和金錢有非常清楚的信念。」

「你的意思是說，富人相信自己能夠創造財富？」

「是的！」艾博拜先生答道，「不過意義還不止於此。你顯然很希望能夠積累財富，否則就不會來這裡跟我討論，對嗎？」

年輕人微笑著說：「沒錯！」

「那我問你，你為什麼想成為富人？源源不斷的財富對你的生活有何益處呢？」

年輕人想了想，答道：「擁有財富就能擁有自由。這自由指的是，我可以去喜歡去的地方、做喜歡做的事、買喜歡的任何東西……財富使我有力量，有安全感、獨立感；我還可以開創自己的事業。」

「很好！」艾博拜先生說，「你相信金錢可以帶給你更多的自由、力量、安全感和獨立感？」

「那當然！可是，大部分人都會說出相同的答案吧?!我們都相信金錢能夠改變我們的生活。」年輕人十分肯定地說。

「等一下，等一下！我們還沒有做完這個練習呢！我現在要你做的是，回想一下你在成長過程中，所學到或聽到的所有關於金錢或財富的觀念。」艾博拜先生說。

「我不太瞭解你的意思……」年輕人猶疑地說。

「我這麼問吧——你父母最常說到的關於金錢的話是什麼？」

「嗯……我想想。我記得父親說過，錢不會從樹上長出來。」

「好！非常好！還有沒有其他的？」

「我母親常說，金錢不是萬能的，還警告我們說，金錢不會帶來快樂，也買不到愛。」

「很好！還有呢？宗教方面對錢的說法呢？」

「你的意思是……金錢是萬惡之源？」年輕人問道。

「對！也算！這是我們最常聽到的一種說法，雖然我認為對金錢的『愛』才是萬惡之源，而非金錢本身。」

突然間，年輕人感到十分震驚，他從小到大所瞭解的對於金錢的看法，竟然都是負面的！他一直被教導著去相信金錢是不足取的、在生命中是不重要的，不能帶來快樂，也買不到愛，而且，金錢還是萬惡之源，使人們的靈魂陷於萬惡深淵。

「你看到這些潛意識信念跟你自己的金錢觀有多麼矛盾了嗎？一方面，你認為金錢可以帶來自由、安全、力量和獨立，但是另一方面，深層的信念又告訴你，如果累積了財富，你將不快樂、沒有愛，是有罪的，並且可能因此墜入深淵。你的潛意識信念因此阻止你接近財富。」

「我從來沒有這麼想過。」年輕人說。

「有些人並不認為自己值得擁有大量的金錢，有些人則認為擁有財富是錯的、不道德的，他們會想，為什麼別人都沒有錢，我卻可以擁有？這些爭議的重點在於，如果沒有幫助別人的條件，你就無法幫助任何人。」

「潛意識信念的力量是不可估量的，」艾博拜先生反覆強調，「並且影響到我們生活中的每一件事物。二十世紀最偉大的企業家克萊蒙．史東提出了一個相當好的觀點，你看！」他邊說著，邊拿出一塊小匾牌給年輕人看，上面刻著：「不論腦中所想的是什麼，所相信的是什麼，你一定能得到它！」

年輕人說：「我理解你所說的一切，可是，我並不認為改變潛意識的信念是一件容易的事。」

艾博拜先生微笑著說：「永遠記住克萊蒙・史東所說的話吧：『不論腦中所想的是什麼，所相信的是什麼，你一定能得到它！』你絕對擁有選擇信念的力量。」

「怎麼做呢？」年輕人問道。

「自我建議。」艾博拜先生說。

「那是什麼？」年輕人又問。

「自我建議是一個簡單的技巧，也就是持續對自己提出建議。」

「持續對自己提出建議，這樣就能影響信念嗎？」年輕人不可置信地問道。

艾博拜先生解釋道：「只要不斷重複，任何建議或說法就會進入你的潛意識之中，繼而你將會相信它。」

年輕人快速地記錄重點，艾博拜先生繼續說：「你要做的，就是透過自我建議，建立跟金錢或財富相關的一些正面聯想或信念。首先，你必須對舊有的負面信念進行逆向思考，譬如，不要說：『錢不會從樹上長出來。』而以『是的！錢不會從樹上長出來，但是在我的努力下一定可以』這句話來代替。又譬如，以『金錢可能無法帶來快樂，可是沒有錢同樣不會快樂』來代替『金錢無法帶來快樂』。我們也可以說：『對金錢的喜愛是萬惡之源，可是合理利用金錢，卻是人類的福祉。』

「然後，再加上自己的正面建議，譬如『財富帶來力量、自由和安全』，或是『我有能力創造源源不斷的財富』。這樣，你就會漸漸改變自己的潛意識信念。」

年輕人從筆記本中抬起頭來，問道：「這些自我建議需要多久重複一次？」

「盡可能頻繁地重複。」艾博拜先生回答，「至少一天三次——起床之前一次，白天一次，睡覺前再一次。」

年輕人怕自己會忘記，連忙記錄下來。

「不管相信什麼，你都可以做到。」艾博拜先生說，「如同這首詩所說。」他指向桌上的一塊銘牌，上面有一首詩：

如果你認為自己會被擊倒，你就會被擊倒；

如果你認為自己沒有勇氣，你就不會有勇氣；
如果你想贏，卻又認為自己不會贏，
那麼，你就幾乎不可能贏！
如果你認為自己將失敗，你已經失敗。
在這世界上，成功來自於一個人的心——
全在於那顆心。
如果你認為自己與眾不同，你就與眾不同！
你得盡可能往好處想，
先確定自己到底是誰，
就可以贏得任何獎牌。
奮鬥的人生並不永遠屬於那些更強壯的人，
或動作更快的人。
可是，遲早能贏得勝利的，就是——
那個相信自己能做到的人。

「這是一首非常鼓舞人的詩，」年輕人說，「我可以抄下來嗎？」

「當然可以！」艾博拜先生笑著說，「我想你可能也會喜歡美國思想家拉爾夫·愛默生的這句話。」他遞過來一張小卡片：「這是我的第一句『自我建議』，我一直隨身帶著，以便隨時提醒自己。」卡片上寫著：

勝利者，是那些認為自己會勝利的人！

這天夜裡，年輕人把白天所做的筆記，仔細地看了一遍：

信念的力量

♣人們往往得不到他們力所能及的事物，卻能獲得那些他們自信可以得到的事物。

♣我們的生活狀況反映的正是我們的潛意識信念。

♣人們所賺得的，正是他們所認同的自我價值。

♣透過自我建議，我們可以改變自己的潛意識信念。

♣不論腦中所想的是什麼，所相信的是什麼，你一定能得到它！

♣勝利者，是那些認為自己會勝利的人！

祕密2
欲望的力量

第二天，年輕人來到城市北邊約六十公里外的小村莊，去見名單上的第二個人：盧波．康明斯。開了一小時車，年輕人終於抵達了這座廣闊的鄉村莊園。當他走上鵝卵石鋪成的步道時，被周圍的景象深深吸引了：放眼所及，至少五百公尺長的草坪上，綠草如茵；一棵茂盛的香柏樹四周，圍繞著一叢叢水仙花，花園的外牆則爬滿了紫色和金黃色的金盞花。

房子前面有一座荷花池，池中有個石雕海豚噴泉。房子外牆爬滿了藤類植物，粉紅色的花苞點綴在綠色藤蔓間，散發著早春的氣息。鵝卵石步道盡頭，一位身穿棉布運動服、頭戴鴨舌帽和太陽眼鏡的男人推著獨輪手推車向年輕人走來；高大魁梧的他，留著銀灰色鬍鬚。走進年輕人時，他放下手推車，摘下太陽鏡，露出炯炯有神的雙眼。

「你好，有什麼事嗎？」他說。

年輕人回答：「我是來找康明斯先生的，我跟他約好了在這兒見面。」

「我就是康明斯！你好！」他熱情地伸出手來。

年輕人驚訝地握著他的手說：「嗯……謝謝！」

「今天天氣不錯，我們坐在外面好嗎？」康明斯先生說。

「好啊！」

康明斯先生領著年輕人沿小徑走到後花園，出現在年輕人眼前的，又是另一番美景。如果說前花園可以用美麗來形容，那麼，後花園就得用高雅來形容了。在這裡，兩旁種滿了翠綠灌木的碎石子路筆直地穿過大片草地，草地四周則環繞著花圃。

他們坐在一張鑲有白珐瑯的鐵桌旁，面朝高雅的後花園。幾分鐘後，僕人為他們端來了飲料。

「要不要喝點茶？」康明斯先生問。

「好！謝謝！」

在康明斯先生倒茶時，年輕人簡短地說明了遇到中國老人的經過。

「財富的祕密？」康明斯先生說，「喔，當然！我知道這些財富的祕密。我現在擁有的所有東西，都得自於那些祕密。」

「哪個祕密最特別呢？」年輕人問道。

「每一個祕密都同樣重要，幫助我得到了現在的一切。但現在回想起來，我想我最需要學習的，就是『欲望的力量』。」

「欲望？」年輕人重複著，禁不住問：「你確定每個人只要有欲望就會得到財富？」

「你有欲望吧？不是嗎？」康明斯先生說，「然而事實上，很少人有致富的欲望，更別說讓欲望成真了。」

「是嗎？這我倒不確定，」年輕人說，「為什麼有人不想要財富呢？」

「讓我從頭說起，」康明斯先生說，「人類的抉擇不外乎圍繞著兩種東西：痛苦和愉悅。如果有什麼是可以帶來愉悅的，我們就去追求它；如果有什麼是會帶來痛苦的，我們就會避免它。這你同意嗎？」

年輕人點了點頭，「我想是吧！可是，財富不是會給人帶來愉悅嗎？」

「沒錯！可是，很多人卻認為金錢或財富會帶來痛苦。你學了信念的力量沒有？」康明斯先生問。

年輕人點點頭，但沒說話。

「所以你應該明白，有些人相信金錢會帶來某種程度的痛苦。舉例來說，有些人認為朋友會因金錢而出賣他們，或擔心有了財富之後，需要擔負一些責任；有時候還擔心錢太多了要繳稅，或者害怕其他有錢人對他有所要求。

「說得更明白一點，會擔憂這些的人，其實並不是真的對財富有欲望，所以他們通常也不會擁有財富。」

「因此可以得出結論，」康明斯先生繼續解釋道，「你如果希望得到源源不絕的財富，就必須提高對擁有財富、得到財富之後那種愉悅感的渴望。你必須要它，但是比『要』更重要的是，你必須渴望得到它，要有強烈的欲望才行。這種欲望必須可以使你為了擁有財富而願意做一些必要犧牲，包括你的健康、你的私人關係和你的正直，以掃除任何阻擋你的障礙。

「那也就是為什麼那些想戒菸的『菸槍』、想保持清醒的酒鬼，以及想減輕體重的減肥者永遠都無法真正成功，除非戒菸、戒酒、減肥的欲望夠強烈，他們才可能有所改變。如果你想在生命過程中得到什麼，就必須對此有一股強烈的欲望。

「十五年前，我遇到中國老人的時候，正瀕臨破產，差不多已經一無所有。我曾經在高速公路旁經營一家加油站，生意很好，好到我竟然可以在加油站旁再開一家餐廳。那時，一切都很順利，我也工作得很愉快。直到另外一條更新、更寬的高速公路在東邊三公里外建成之後，幾乎是一夕之間，我的加油站業務一落千丈。六個月之內，生意就差到完全沒有希望的地步。就在這段期間，我開始負債了。

「我沒有任何收入可以支付日常開銷，更別說賺錢還債了。最後，只好把加油站賣給一個有錢的親戚。當時，我發現自己已經六十多歲了，竟然還身無分文！」

年輕人從筆記本中抬起頭來，問道：「你是說，你在六十多歲的年紀還得一切從頭再來？」

「是的！」康明斯先生點點頭。

「可是大部分人在那個年紀都要準備退休了，不是嗎？」年輕人驚歎，「你還能做什麼呢？」

「老實說，那時候我還真是手足無措，只知道自己一定得做點什麼。那天，我坐在自己的餐廳裡，一位中國老人走了進來，坐在我面前不遠的一張桌子旁，對我說：『早安！』他有一張非常和善的臉孔，我們幾乎馬上就拉近了距離。他點了一道特餐——也是我最拿手的一道餐點——油炸辣薯片，還誇讚它十分美味。每一個曾在我這裡吃過這道餐點的食客，都會愛上它。

「他用過餐後，問我為什麼客人稀少？我就跟他解釋那條新高速公路的事。他問我以後打算怎麼辦？我說不知道。我已經耗去生命中最寶貴的二十年來經營加油站和餐廳，結果新高速公路建成後，事業轉瞬落入低谷。如果沒有車經過這裡，我還能怎麼辦呢？

「老人嚴肅地看著我說：『我們要相信每個困境的降臨，都一定會帶來同等或更有價值的東西。』我說：『別開玩笑了！二十年的心血都白費了，還可能有什麼更有價值的東西？』他又說：『因為更好的東西在等著你。一扇門關起來了，你得去打開另一扇門。你可以擁有任何你想要的東西……如果你的渴望夠強烈，而且準備好不惜代價得到它。

「我望著窗外陷入沉思，想著接下來該怎麼辦呢？這樣的情況有可能帶來什麼轉機呢？我想了一會兒，再回過頭時，老人已經走了。他在桌上留下了餐費，以及一張小紙條，紙條上寫了十個人名和電話號碼，最後還有一行字——謝謝你的特餐，油炸辣薯片實在太可口了！」

康明斯先生啜了一口茶，繼續說他的故事：「我打電話給紙條上的所有人，想多瞭解一些老人的情況，卻因此學會了財富的祕密。剛才說過，我已經步入絕境，再沒有什麼可以失去，所以就全豁出去了。」

「這些祕密對你有幫助嗎？」年輕人問。

「看看你周圍這一切，」康明斯先生笑著說，「沒有財富的祕密，我恐怕只能一死了之了。」

「你不是說真的吧？」

「當然是真的。但還好，我學會了那些祕密。」康明斯先生嚴肅地回答。

「那麼，欲望的力量到底是怎樣幫助你的？」年輕人問道。

「欲望的力量讓我下定決心走向成功。」康明斯先生說，「在生命旅程中，除非有一股強烈的欲望，否則你很難獲得任何東西，因為，『獲得』需要努力、決心和承諾。以前我只求生活安逸，可是在破產之後，我產生了強烈的渴望，不只希望有錢，更想要擁有更多的財富，以此向自己和他人證明，我可以做到。很多人都告訴我，我太老了，不可能從頭再來。還有人覺得我太愚笨了，要成功純屬癡心妄想，他們覺得我只要顧好眼前就行了。

「但是，我仍然決定充分利用所擁有的，努力創造財富。」

「你擁有的是什麼？」年輕人好奇地問。

「油炸辣薯片的獨家祕方！」康明斯先生說。

「別說笑了，薯片有什麼獨家祕方可言？」

康明斯先生微笑著說：「我估計，餐廳和咖啡廳可能會需要這樣的餐點，我也知道我的薯片一定會大受歡迎，因為每個吃過的人都很喜歡，所以我跑遍全國推銷這道餐點的獨家祕方。我先免費提供獨家祕方給餐廳，直到油炸辣薯片的點用率提高了，再來談價錢。很多餐廳的經理都取笑我說：『我們幹嘛要你的什麼獨家祕方？我們自己有啊！』我告訴他們：『可是我的祕方很特別喔！』他們幾乎連免費祕方都不願意嘗試，可是我並不氣餒，因為我要成功的欲望非常強烈。

「我差不多走訪了上千家餐廳，最後終於有人同意嘗試我的祕方。三年之後，我收到了五張合約；又過了四年，僅那一張又一張合約書，就使我成了千萬富翁。那時我已年近七十歲，可是我做到了。所以，中國老人的話是對的——失去加油站，卻給我帶來了更美妙的事。」

年輕人也高興得笑了。

「你有沒有讀過狄更斯寫的《小氣財神》？」康明斯先生問年輕人。

「有！」

「是什麼讓小書中的史庫吉改變了？」

「一些過去、現在和未來的聖誕鬼魂。」年輕人說。

「對！可他們是如何讓他改變的？」康明斯先生繼續問。

「嗯……他們讓他看到，如果他再不改變的話，下場將會如何。」年輕人回答。

「沒錯！過去的聖誕鬼魂讓他看到自己在過去因為吝嗇小氣而受到的折磨與痛苦，現在的鬼魂則重現他現時所承受的痛苦，而未來的鬼魂則讓他看到，若再這樣下去，將來他會變成什麼樣子。隨後，史庫吉醒來，發現自己還活著，於是決定徹底改變。

「我們也可以用這種方式來改變自己的生活，不論是在財務、事業，還是人際關係都可以。重要的是，我們需要有改變的欲望。我們必須清楚地意識到不改變則會導致的痛苦，以及一旦改變將會帶來的樂趣。這樣做才能讓我們產生非常強烈的動機，刺激我們非成功不可。

「使我們產生這種強烈欲望的唯一方法，就是採用類似《小氣財神》書中的方式，依照四個簡單的步驟來進行：第一步，就是深刻地回想過去造成你現在想改變的痛苦經歷。所以，如果這改變是想擁有更多的金錢，你只要回想過去想買一些喜愛的物品卻總是苦於沒錢而無法如願的情形。」

此時，一幕幕畫面從年輕人腦海中閃過：小時候，他總是穿著過時、陳舊的衣服，朋友們卻總是穿著最新流行的款式；上了大學後，也總是不能跟朋友們出去玩樂，因為他沒有多餘的錢可用；當時有個紅頭髮的可愛女孩，他仰慕已久，卻從來不敢約她出來，因為他沒有車；最痛苦的經歷是，母親生病時需要一筆昂貴的醫藥費，他卻無能為力。缺錢，使他過去的回憶充滿了痛苦。

年輕人的思緒被康明斯先生打斷了。

「第二步，是去審慎思考，過去那些痛苦的經歷是你現在想改變的動力。以我為例，我失去了所有努力得來的一切，那實在太痛苦了。」

年輕人想到自己因為財務上的困難，度過了無數不眠之夜，卻從不曾仔細體會過這種痛楚與苦悶，以致這樣的經濟狀況雖令他難過，卻未能幫助他因此產生改變生命的動力。

「第三個步驟，」康明斯先生繼續說，「是去想像，你如果不做任何改變的話，未來還會不斷承受這樣的痛苦。譬如，你的孩子在童年無法得到特別的生日禮物，或因為沒有錢而無法上大學；或你因為窮而無法照顧好家人，或你沒有能力在家人、朋友需要幫助的時候，對他們伸出援手；或你買不起大房子招待前來拜訪的朋友們。」

年輕人想像他已經結婚並且有了小孩，想到自己沒有能力讓他們過好日子，孩子就得像自己小時候一樣，在貧困中長大成人……他不敢再想下去了。他深吸了一口氣——過去、現在和未來，好像除了痛苦之外，還是痛苦。

「這不是有些令人沮喪嗎？」年輕人問，「為什麼要一直去想生活中的痛苦？」

「這的確很消極，」康明斯先生承認，「可是，如果這可以讓你產生改變生活的強烈欲望，不是很值得嗎？」

年輕人點頭道：「沒錯！可是……」

「沒錢付賬單、沒錢應急，或沒錢為自己、家人及朋友買些禮物……這些經歷的焦慮與痛苦，正好成為我們改變生活的原動力。」康明斯先生解釋道，「記住！如果想改變現狀，你就一定要有熾烈的改變欲望。前面提到的三個步驟只是前奏——認清你希望避開的痛苦。第四步，即最後一步才是重點。現在，你要想像當你擁有許多財富之後所享受到的一切。你將有能力買下那些夢寐以求的東西，可能是一棟豪宅、一輛汽車、一段假期；你將有能力幫助你愛的家人和朋友，或者其他需要幫助的人。

「不過，我所說的『想像』，是指你必須真的看到這些情境，用心去體會、感受夢想成真時那種無比快樂的感覺。

「這樣可以幫助你創造出一股強烈的欲望；當你心中充滿這種欲望時，很快地，生命的前程將如同你所期望的那樣在眼前展開，等著你去體驗。」

「你真的相信，只要欲望足夠強烈，生命之旅就會如同我期待的那樣，等待我去體驗？」

「那當然！」康明斯先生答道，「你知道『欲望』這個詞在拉丁文中是什麼意思嗎？」

年輕人搖搖頭。

「意思就是『來自父親的』，也就是『與生俱來』的意思。這代表什麼？這表示無論心裡想要什麼，你與生俱來就有能力得到它。換言之，即使沒有欲望，你也天生就有能力去創造它。」

「喔！我懂了！」年輕人說，「你的意思是說，只要對某樣東西渴望至極，你就有力量去得到它？」

「完全正確！我就是活生生的例子。像我這樣超過六十歲的人都可以做到，相信我，任何人都可以！」

那晚，在睡覺之前，年輕人把當天做的筆記又整理了一次：

欲望的力量

♣如果你尚未擁有財富，那表示你對財富還沒有足夠的欲望。

♣如果沒有強烈的欲望，你就很難得到想要的東西。

♣有了強烈的欲望，你會願意做任何犧牲（包括犧牲自尊、健康或人際關係），只為了實現這股欲望。

♣你可以按照《小氣財神》中的四個步驟，去創造熾烈的欲望：

1. 回想過去缺錢的經歷；
2. 回想過去因為缺錢而承受的所有痛苦；
3. 想像自己若不做任何改變，未來仍將不斷承受同樣的痛苦；
4. 想像自己擁有財富之後，將得到的所有歡樂。

祕密3
目標的力量

幾天之後，年輕人來到市中心，與名單上的第三個人：麥可．查普曼見面。查普曼先生是一家國際通訊公司負責人，高高瘦瘦，外型相當搶眼。見面那天，他身穿白色棉質襯衫、雙排釦外套及深灰色長褲，打著一條深灰色條紋領帶；而那一頭梳理整齊的栗色頭髮、紅褐色的大眼睛，使他看起來比實際年齡四十多歲年輕許多。

年輕人告訴查普曼先生關於遇到中國老人，以及前兩次與名單上的人談話的經歷。查普曼先生坐在椅子上，雙手交握，彷彿陷入深思。

「告訴我，」查普曼先生對年輕人說，「你希望在生命中得到什麼？」

「對不起，你的意思是……」年輕人問。

「你想從生命中得到什麼？」查普曼先生有些嚴肅地重複了一次。

「嗯……我想要……快樂、健康和……富足！」年輕人回答，「每個人不是都一樣嗎？」

「是的，正因如此，才很少人快樂、健康並且富有。」

「這話怎麼說？」年輕人不解地問道。

「如果不知道要在生命中尋找什麼，你又如何找到它呢？」

「可是我剛剛不是說了嗎？我要健康、快樂和富足。」年輕人堅持道。

「但這些字眼模糊不清、曖昧不明，沒有什麼特別的意義；它們的具體意義到底是什麼呢？」

「對不起！我不明白你的意思。」年輕人急忙說。

「好！讓我們說得更確切一點。你要怎樣才會感到滿足？你必須賺多少錢才會感到富足？」

「嗯……我想想，」年輕人終於理解查普曼先生的意思了。他想了想，說道，「我至少要賺雙倍於現在的薪水才會感到富足。」

「好！這是剛開始。還有呢？」查普曼先生問。

「我要擁有一間房子，沒有貸款負擔，還要一部車子……」

「哪種房子？哪種車子？」查普曼打斷他說。

「我不知道。」年輕人回答，「那不重要。」

「是嗎？」查普曼先生馬上反問道，「所以，只有一個房間、坐落在城裡最髒亂地區的房子也可以接受嗎？」

「不！當然不！」年輕人說。

「那要哪一種房子才行呢？」查普曼先生又問。

「我想要一棟有五個房間，位於城市北邊的房子。」

「好！現在你已經愈來愈清楚了。」查普曼先生又問，「你認為賺比現在多兩倍的薪水，就能買得起這樣的房子嗎？」

「不能。」年輕人笑了，「我得賺比現在多十倍的錢，才買得起這種房子。」

「那麼，你剛剛為什麼說只要多賺兩倍的薪水就能感到富足呢？」

「我……我想，我還沒有真的仔細思考過這個問題。」年輕人不好意思地承認。

「你看到矛盾了嗎？」查普曼先生說，「很多人都說想要富有，可是，很少人花時間仔細去想自己到底要什麼，以及為什麼要。如果你想為自己的生活創造源源不絕的財富，就必須把這些都想清楚。去找出你確切的需求，即使是最微小的細節也要考慮到。這是非常必要的過程。只說你想要一部新車是不夠的，你必須知道是什麼車、什麼牌子、什麼樣子、什麼顏色，這樣你心裡才有清晰的目標。最後，光有清晰的目標還不夠，你還必須知道動機，以及如何達到目標，這才真正對你有幫助。」

「年輕的時候，」查普曼先生繼續說，「我以為我能對抗傳統體制，我不需要資格文憑，我對學習沒有興趣，我只想過好日子。但我很快就發現，因為沒有資格和文憑，我找不到一份好工作。現在回頭去看，的確很荒謬。我曾經把這歸咎於學校教育，學校應該教導我瞭解學習和文憑的重要性。然而事實上，我的確曾被這樣教導過，只是我沒有聽進去。

「我不知道自己能做什麼，因此變得依賴、沮喪，而且非常苦悶。為什麼別人都有新車、豪宅、華服和長假，而我卻沒有？我一直在想，別人擁有這些東西，是因為他們花時間努力爭取，而我只是虛度青春年華。我責怪所有的人，包括我的父母、老師，甚至政府。然而，只有一個人是該被責怪的，那就是我自己。

「後來，我從一位姑媽那裡獲得了一份遺產，便想找個地方去度假，用那筆錢逃離這烏煙瘴氣的生活。於是我拿著旅行社的廣告單坐在公園裡，開始選度假的地方。

「後來，一位中國老人坐到我身旁，問我是不是要去哪裡度假？我告訴他說，我還不知道要去哪裡，只知道必須離開幾個星期。他問為什麼必須離開，我說我沒有工作、沒有希望，也沒有未來。他轉過身來直視我的眼睛，說：『那你必須去創造未來。』」

「你怎麼創造自己的未來呢？」年輕人打斷他。

「當時我也是這麼說的，」查普曼先生說，「老人卻回答：『透過財富的祕密啊！』接著他給我一份名單，並說這些人會跟我解釋一切。」

年輕人微笑起來。

「正是透過那些人，我發現自己最大的問題是：沒有目標、沒有方向。」查普曼先生繼續說，「後來我終於明白，自己其實可以擁有任何想要的東西，可是，我首先必須確定自己到底想要什麼，以及為什麼要。這就是明確目標的力量。」

「明確目標？」年輕人即刻記在筆記本上，然後問道：「你是說，我們必須有目標才能創造財富？」

「是的！目標是第一步。」查普曼先生說，「你必須有特定的目標，單單說自己想要財富是不夠的。你想要建構一個未來，就必須專注於自己想擁有什麼，以及希望何時擁有。」

「這麼做對得到財富又有何助益呢？」年輕人問道。

「想像一下，你已經開始一段旅程，可是腦海裡並沒有終點，請問你最後會到哪裡去？」查普曼先生反問。

年輕人笑著說：「那就隨人去猜了。」

「對啊！沒人知道你會在什麼時候往什麼方向走，一切只取決於你當下的感覺。可是，如果你在啟程之前就有目的地，那麼最可能去哪裡呢？」

「當然就是那個目的地啊！」年輕人說。

「對呀！人生就像一趟旅程，如果知道自己要去哪裡，就最可能到達哪裡。」

年輕人又低頭做了些筆記。他以前從來沒有明確的目標，可是，他現在知道目標的重要性了。

「光有目標還不夠。讓我們回到那個假想的旅程——如果你有好幾個目的地都想去，你如何確保自己可以逐一抵達這些目的地？」

「嗯……把它們寫下來？」

「很好！寫下所有的目標，這樣就可以隨時檢查自己是不是走在正確的道路上。這就像去超級市場一樣，如果你沒有事先準備一份購物清單，剛開始可能還知道自己要買什麼，可是在眾多展示櫃前繞一圈之後，你可能被各種廣告、促銷活動或琳瑯滿目的商品所吸引而分心，最後，往往忘了買那些最需要買的東西。」

年輕人笑著說道：「我就是這樣。每次從超級市場出來，總是忘了買最需要的東西，反而買了一些奇奇怪怪，甚至是我不需要的商品。」

「現在，如果你有一張購物清單，就不會發生這種事情。因為你在逛超市的時候，會不時看一下購物清單，以確定到底要買什麼。」

「聽起來挺簡單的。」年輕人說。

「是很簡單啊！」查普曼先生笑著說。

「所以，你的意思是，寫下目標是比較有效率的方式？」

「沒錯！然後每天都看看自己寫下的目標，最好一天看三次，讓它們一直呈現在你的腦海中。如此一來，你就會習慣於鎖定目標，所做的大部分事情也都會朝向這些目標的達成。舉例來說，你有個目標是這星期內要完成一份企劃書，你就會把大部分時間花在企劃書上，而不是看電視。

「最有效的方法是，你必須把目標牢牢記在心裡，讓它進入你的潛意識。」查普曼先生說。

「怎麼說呢？」年輕人問道。

「人們通常會怎麼描述自己的目標？譬如，對於新年的新希望，人們會說：『我希望……』、『我要……』、『我想嘗試……』這麼說是沒什麼用的，而這也是人們通常無法實現新年新希望的原因。」查普曼先生解釋道。

「這些說法有什麼不對嗎？」年輕人不解地問。

「如果有人說他要戒菸，你想他會成功嗎？」

年輕人聳聳肩。

「我敢跟你打賭，絕對不會成功。」查普曼先生說，「因為，如果這人真心要戒菸，他會說：『我不抽菸！』你有沒有聽說過，有一個催眠師將一個人催眠了，讓這人直挺挺地躺在兩張椅子之間，中間沒有任何支撐？」

「有！我聽過。」年輕人回答。

「想像一下，催眠師如果說：『你應該像塊木板一樣直，我們要試著讓你變得跟鋼板一樣硬。』這樣的催眠有可能成功嗎？催眠師應該說：『你像木板一樣直，像鋼板一樣硬。』沒有『應該』、『試著』、『可能』、『希望』……等假設性語詞，催眠師都用確定而正面的描述方式。

「我們表達目標時也是同理，要用『從現在到今年十二月三十一日為止，我賺了一百萬』來取代『我想要』、『我試著』或『我希望在今年年底之前賺到一百萬』。當你準備訂下目標時，永遠要記得用肯定、明確的詞句來描述。

「當你用那些詞句寫下目標時，你已經達成一半目標了。說來也神奇，那樣做事實上就意謂著，你正在使它們成真；只要簡單地把目標寫在紙上，每天讀三遍——早上、中午和晚上各一次——你就已經開始往目標前進了。」

「當真？」年輕人不可置信地問。

「我只能說，去試試看，看會發生什麼。」查普曼先生說，「寫下目標，對你達成目標將產生決定性的力量。一旦寫下它們，你就會『看見』自己得到它們。」

「這話又是什麼意思呢？」年輕人問。

「這是一個『視覺化』的過程。不論目標是什麼，你要想像自己已經得到它了。比方說，你的目標之一是住在某棟豪宅裡，你就會『真的看到』自己住在裡面。如果你的目標是獲得某種特別的工作，你要『真的看到』自己在做這份工作。」

「可是，這不過是想像吧？」年輕人問道。

「有一位充滿智慧的老人曾經告訴我：『如果去企求它，它就不是夢！』當你想像自己已經達到目標，這目標就會變得更真實，也更有可能達成。偉大的運動員經常會使用這種技巧，因為這會增加他們的自信心，幫助他們達成目標。」

「好！」年輕人說，「所以我得確定目標，寫下它們，然後『看見』自己達成目標。」

「對！不過，還有一個可以讓你更順利達到目標的額外步驟，那就是你要達成這些目標的理由要很明確。」

「為什麼呢？」年輕人問道。

「因為，理由可以給予目標一個目的。舉例來說，你的目標是賺到一定數額的金錢，那麼你要達成這目標的理由，可能是為了負擔一棟豪宅、一段假期，或供你的孩子上大學。不管是什麼，你都需要一個具體的目的。對比『賺到一千萬』和『賺一千萬來買棟自己的豪宅』，哪種說法的目的比較明確？

「記住！財富不只是用來積累金錢，更是用來滿足你的目的。所以，你要達成這些目標的理由愈明確，你的目標就愈可能實現。」

這天晚上，年輕人把自己的筆記拿出來重溫一遍：

目標的力量

- 你可以擁有任何希望擁有的東西，只要你明確要什麼、為什麼要它。
- 你必須確立自己的目標，包括要達成這些目標的理由，以及何時達成目標。（譬如，只說要擁有財富是不夠的，還必須說出到底要賺到多少錢、要擁有怎樣的財產。）

- 永遠用肯定、明確的詞句描述目標。（譬如，從現在到×年×月為止，我要賺多少錢、要擁有多少財產。）
- 把目標寫在紙上，每天讀三遍。（早上、中午和晚上各一次。）
- 把自己達到目標的情境「視覺化」。
- 指出要達到這些目標的原因。
- 記住！財富不只是用來積累金錢，更用來滿足你的目的。

祕密 4

計畫的力量

「你已經用肯定、明確的詞句寫下了自己的目標，也已經制訂好達成目標的時間表，確定了要達成目標的原因。現在，你已經有了明確的目標——知道自己要什麼、為什麼要，以及何時得到——可是還不知道下一步該怎麼做？」

年輕人坐在愛芮卡．席爾正對面。席爾太太是一家頗具規模的國際出版公司主編，也是年輕人名單裡的第四個人。第一眼見到席爾太太的時候，年輕人十分驚訝，因為他以為出版公司的主編應該是個中年人，可是，席爾太太雖然也已經三十九歲，看起來卻比實際年齡年輕十歲以上；有著一頭金色長髮和一雙翡翠色大眼睛的她，是三個小孩的母親，但身材依然保持得相當苗條。

「說實話，」年輕人說，「我一點想法都沒有。你說得對，我雖然已經有明確目標，卻不知道如何去達成。」

「沒有關係。」席爾太太說，「十二年前，我也跟你一樣。我的事業是從自由撰稿人開始的，我懷了孕，但仍繼續工作，直到把孩子撫養長大。當時我總是寫一些自己感興趣的文章，內容不外乎育兒和家庭，相關題材我都可以隨手拈來。我的文章大都發表在雜誌和報紙上，收入也還不錯。可是，我還有更大的夢想——夢想自己出版一份雜誌。問題是，那需要一大筆資金，因而使得我的願望看來只能是不切實際的幻想。

「有一天，我要到北方一個城市採訪。車上，坐在我對面的，正是那位中國老人，他也要去同一個地方。他非常和藹親切，我們幾乎一路上都在談天。談著談著，我就告訴他說，我是個文字工作者，一直夢想著出版自己的刊物。但我也向他坦承，實現這個夢想需要很多錢，我恐怕一輩子都無法實現。

「聽了之後，他輕輕拍了拍我的手臂，對我說：『如果你想得到它，它就不是夢。』」

「這是什麼意思？」年輕人問道。

「我也是這麼問他的。」席爾太太接著說，「老人回答：『只要是你真正渴盼、相信的夢想，就可以實現。』」

年輕人想起老人也跟他說過類似的話，於是低頭開始記筆記。

席爾太太繼續說：「就是在那時，他對我提到財富的祕密，並給了我十個人名和電話號碼，說他們可以向我解釋這些祕密。於是我去見了那十個人，因為我想，或許這些人有什麼故事，是我寫文章可以參考的。可是我很快就發現，財富的祕密是真有其事，而且還使他們獲得了成功。其中一個祕密對我而言特別重要，那就是行動計畫表的力量。」

「行動計畫表？那是什麼？」年輕人問道。

「知道你要什麼和為什麼要是非常重要的，可以讓你的目標真正融入你的生活。可是，如果你要以實際行動來達成目標，就必須擬定具體策略。這就是行動計畫表。

「所有成功的運動員都會嚴格計畫自己的未來，會規劃出訓練時間表，以便讓自己在參加某項競賽時，恰好達到巔峰狀態。比賽之前一、兩個星期才做計畫是來不及的，他們必須很早就估算出自己的巔峰期，才有可能成功。我們的生命之旅也是同樣道理，所有人在賺錢之前一定要有個粗略的構想，然後擬定對應的行動計畫。

「幾年前，我請問一位非常成功的企業家，成功的祕訣是什麼。他告訴我，不管做什麼事情，要成功，就必須先做到三件事：計畫、計畫、再計畫！這話真的很有道理。你可以想像要蓋一間房子，卻沒有施工設計圖嗎？要用什麼材料？什麼工具？在哪裡打地樁？蓋成什麼形狀？蓋幾層樓？如果沒有計畫，你就不知道如何開始。」

年輕人點頭同意。

「同樣，不管你要得到什麼，一棟房子、一艘船、一輛車……或各種財富，都需要計畫表。

「有了行動計畫，就可以依照目標去設計自己的生活。這其實不容易，哪怕一件小事都不見得容易！譬如，你的電視機壞了，你需要一台新的電視機。你知道自己想要什麼牌子、什麼樣子的電視機，接下來的問題就是：『怎麼做才能得到這台新電視機呢？』」

「只要知道哪家店有賣，去買就行了。」年輕人說。

「好！你找到了這家店，可是，如果太貴了怎麼辦？」

「很簡單啊！那就不要買嘛！」年輕人回答。

「中國老人有沒有跟你提到解決問題的黃金定律？」席爾太太問。

年輕人翻著他的筆記本，找到其中一頁，唸道：「當你自認為已經竭盡所能的時候，記住，你並沒有真的盡力而為！」

「完全正確！」席爾太太說，「總有辦法的，只是得想方設法地去找到這個辦法。我們再來談電視機——如果電視機售價兩百英鎊，但你只有一百英鎊，你要怎樣辦呢？」

「嗯……那就等吧！先存好那一百英鎊，再繼續存錢，可以一個月存十英鎊，十個月以後就可以湊夠兩百英鎊啦！」

「沒錯！這是一個方法。可是你會有十個月沒有電視看啊！還有沒有別的方法呢？」

「那就去借錢或刷信用卡。」

「這也是一個辦法，可是如果不能及時還錢，可能就要付很高的利息！」

「我只能想到這些了。」年輕人承認。

「好！問問店家能不能打折？很多商店都把商品售價訂得比較高，顧客可以討價還價。或者，問他們能不能免利息分期付款？有些商店還可能收回你的舊電視，並且折算一些錢給你，這樣一來，你不必付全額價錢，就能買到一台新電視機。你看，不是還有很多辦法可想嗎？

「有些事情給人的第一印象是『不可能』，可是，當你坐下來寫一張行動計畫表，會發現還有許多其他可能呢！你只需列一張計畫表，寫下十個可行的行動方案。」

「可不可以舉個例子呢？」年輕人要求。

「好，以我為例，我需要十萬英鎊才能成立自己的雜誌社，所以，我寫了十個可能的方案：

1. 找個人或企業來投資十萬英鎊。
2. 找兩個股東，各投資五萬。
3. 找五個股東，各投資兩萬。
4. 找十個股東，各投資一萬。
5. 找二十個股東，各投資五千。

6. 找五十個股東，各投資兩千。
7. 找一百個人來投資，各出一千。
8. 找兩百個人來投資，各出五百。
9. 向銀行貸款。
10. 把構想賣給出版商，與出版商合作。

「當我列出各種可能，整個計畫看起來就不那麼難以實現了。現在我的每個目標都有十項計畫方案。」

「我懂了！這樣做真的有用嗎？」年輕人問道。

「絕對有用！因為這會讓你激發出許多之前想不到的方法。我曾經讀到一則故事，有一位神父要在小鎮上設立一間教會，但他沒有錢，於是，他列了一份十項計畫表：

1. 租一間學校的房子。
2. 租一個社區聯誼會的大廳。
3. 租一間狩獵用的小屋。
4. 向殯儀館租一間祭祀堂。

5.租一間廢棄的倉庫。
6.租一間社區的交誼廳。
7.租一間耶穌會的禮拜堂。
8.租一間猶太教教堂。
9.租一間劇場。
10.租一塊空地、一頂帳篷和一些折疊椅。

「從這份計畫表中，他得到了許多方案，最後他把教會設在劇場裡。幾年之後，這位神父——羅伯．舒勒博士，有了固定參加禮拜的群眾，於是，他想蓋一座有尖塔的教堂，讓全鎮的人都可以看見教堂尖塔。這個尖塔將被取名為『希望之塔』，但神父不只希望讓人們來做禮拜，更希望教堂能成為社區的中心，成為全鎮人民希望與精神的庇護所。這一次，舒勒博士需要一千萬元經費。有人告訴舒勒博士，這次恐怕不太可能了。可是，舒勒博士又列了一份十項計畫表：

1.找一個人出資一千萬。
2.找兩個人，各出資五百萬。

3.找四個人，各出資兩百五十萬。
4.找十個人，各出資一百萬。
5.找二十個人，各出資五十萬。
6.找四十個人，各出資二十五萬。
7.找五十個人，各出資二十萬。
8.找一百個人，各出資十萬。
9.找兩百個人，各出資五萬。
10.找一千個人，各出資一萬。

「籌措資金需要花很多時間，但他還是做到了。而這種十項計畫表，可適用於達成任何目標。」

「是的，這樣做的確有助於開創事業。」年輕人說，「可是，私人的事情應該怎樣計畫呢？我有一個目標，就是在城郊買一棟有五個房間的屋子，還要有前後院的空地。不過，我目前的薪水實在買不起，我現在連小套房都負擔不起！」

「這樣的意思就是，除非中了彩券或大獎，否則你就得想方設法增加收入。這也意謂著，你可能需要升職或換份高薪的工作，甚至尋找創業的機會，總之，如果你一定要達成這個目標，就必須尋求改變。

「我知道這聽起來會令人備感挫折，不過，你要先把十項計畫表做出來。如果你現在想做，我或許可以幫你。我們先想想如何增加你的收入。你現在年收入有多少？」

「六十萬元。」年輕人說。

「好！如果每年多賺四倍，五年之內你將會賺到一千五百萬。這樣夠了嗎？」

「夠了！可是我怎麼賺這麼多錢？」年輕人說。

「寫出十項計畫表。把你能想到的可行性計畫都寫出來。」

「好！」年輕人想了想說，「我可以努力工作，然後升為經理。我想他們每年至少有兩百萬收入。」

「這是一個方法，但還不太合適。要從一個小職員升為經理級的管理階層，通常要花上十年時間。」

「我能想到的另一個方法是，換一份有業績獎金的工作，這樣我的薪水就可能因為業績不錯而提高。」

「好！可是這個業績獎金要好高喔！」席爾太太說，「再去考取一個更好的文憑如何？這可以讓你找到高薪工作。」

「可是我現在有負債，不能斷了收入。」年輕人謹慎地說。

「你可以晚上進修。」

「這倒也是！我沒想到這點。」年輕人說。

「還有，自己創業如何？」席爾太太建議。

「這也是個辦法，」年輕人說，「可是做什麼事業呢？」

「同樣要先做計畫！很多人終其一生都在從事不感興趣的工作，他們不知道自己的興趣所在，不瞭解自己的潛力和弱點，也很少去想自己適合做什麼事業。若是這樣，工作就只是賺錢餬口罷了。他們對自己的工作沒有熱忱，也沒有興趣與理想。最後，只能庸庸碌碌地過日子，永遠無法成為頂尖人才。」

年輕人深深地倒吸一口氣，席爾太太說的正是他的情況；他對自己的工作不感興趣，只不過是為了付賬單而上班。他也從不曾仔細想過自己到底對什麼工作有興趣，或者擅長做什麼樣的事情。

「這些都是最基本的問題。」席爾太太說，「除非這份工作是你有興趣或擅長的，否則你很難做好。而如果無法做好工作，你怎麼可能得到高薪呢？」

「有一句話很有智慧：『做你愛做的，錢就會來找你。』如果真的很喜歡做某件事，你就會為它花更多時間，隨後你就變得很擅長做這件事了。很多人都是這麼想的——打算先工作賺錢，有了錢之後，再去做自己喜歡的事。結果是，一個星期花五天去做自己不感興趣的事，卻想不通自己為什麼不快樂。」

年輕人對此完全理解，因為他也有這種感覺。

「可是，有多少人真的能夠樂在工作中呢？」他不禁反問。

「很少！」席爾太太回答說，「但是，話說回來，又有多少人是真正富有呢？」

「我明白你的意思了。」年輕人說，「你是說，在求職或創業之前，必須認真去想：

1.自己是否喜歡這工作；

2.這工作能否發揮自己的專長；

3.這工作是否符合自己的長期事業規劃與財務目標。」

「這就對了！」席爾太太微笑道。

「嗯，我明白了。」年輕人說，「我真希望自己求學時就能想到這些。」

「你無法改變過去，但能創造未來。」席爾太太說，「問題是，你接下來該怎麼做呢？」

「我也不知道，」年輕人說，「這是我來拜訪的原因。不過我想，我很希望能開創自己的事業。」

「很好！那首先你得做什麼呢？」席爾太太又問。

「擬定一份計畫表。」年輕人回答。

「完全正確！」席爾太太解釋說，「所有的事業都需要一份事業計畫——一份經過仔細考慮的行動計畫表。如果你需要借一筆錢來創業，有經驗的投資者一定會先看你的創業計畫書；他們會想要知道你是否考慮到了所有細節，因為根據他們的經驗，沒有計畫或方向的事業，是不可能成功的。同理，你若想創業致富，就必須徹底考慮清楚自己的目標和計畫。」

這天晚上，年輕人拿出當天的筆記詳細地讀了一遍：

計畫的力量

♣如果你一定要達成目標，就必須擬定策略，列出一份行動計畫表。
♣不論做任何事，如果要成功，請考慮以下建議：計畫、計畫、再計畫！
♣對每個目標都要使用十項計畫表，列出十個達成目標的可能方案。
♣在求職或創業之前，問自己三個問題：

1.是否喜歡這工作？
2.這工作能否發揮自己的特長？
3.這工作是否符合自己的長期事業規劃及財務目標？

祕密5
知識的力量

葛麗亞．布朗的故事真切而振奮人心。七年前，布朗太太原是一家電腦經銷公司的主管，但經濟不景氣，她毫無理由地被資遣了。要找一份新工作似乎不太容易，但是她找到一個方法，不僅讓自己存活下來，而且還在一年之內賺進了比以前多五倍的收入。

布朗太太約五十幾歲，身材嬌小玲瓏，一身格子套裝襯托著她及肩的紅髮和大而明亮的栗褐色眼睛。最讓年輕人印象深刻的，是她的微笑；親切溫暖的笑容，讓她的臉龐更顯得光彩煥發。

年輕人急切地想知道，布朗太太究竟是如何從困境中重新站起來。

「如果你要創造源源不絕的財富，」她解釋道，「就必須學會利用每一段經歷來獲利。」

布朗太太的話，也讓年輕人想起中國老人曾對他說：「在所有的困境、問題當中，一定含有一顆等值或更有價值的種子。」這難道是真的嗎？年輕人心裡想著。

「在剛失業的前幾個月裡，」布朗太太繼續說，「我完全無法從那樣的困境中恢復過來，我不知道該怎麼辦，心情沮喪極了。後來，我遇到了那位中國老人。

「當時我的冰箱壞了，就請人來修理，一位矮小的中國老人來了。他幫我修理好冰箱後，我為他準備了一杯茶，然後我們開始交談起來。我提到被資遣一事，他隨即看著我說：『當生命中的一扇門關起來，你得去打開另一扇門。』接著他說到了關於財富的祕密。我有些懷疑，又很好奇。

「當時，我的積蓄花光了，前景也一片茫然，甚至連冰箱都壞了。在一無所有的時候，冒冒險也沒什麼好損失的。所以，當他給我十個人名和電話號碼的時候，我立刻就決定要去拜訪他們，一探究竟。

「我實在很幸運，因為這些人所教的，是我這輩子從來沒有學過的東西，那就是我得為自己的命運負責；不論發生什麼事，不管面對何種境況，我都要對自己的未來負責，而且，我有能力去創造自己所企求的未來。」

布朗太太說得這麼堅定而有感情，年輕人因而也受到了鼓舞。布朗太太隨後誠懇地說道：「其中有一個祕密對我的影響特別大，那就是專業知識的力量。」

「也就是說，『知識就是力量』？」年輕人問道。

「不！」布朗太太回答道，「知識只是潛在的能量，只有在得到有計畫且聰明地實踐之後，才會變成力量。」

年輕人低頭作筆記。

布朗太太繼續說：「一般的知識對於累積財富而言沒什麼價值。你知道一些細瑣的知識，但對於賺錢或得到財富卻毫無用處，除非你是去參加電視的智力問答節目。「然而，專業知識卻能夠幫助你創造收入。不論是哪一方面，如果沒有一點專業知識，你都很難成功。舉例來說，如果你的朋友問你是否願意投資他的新事業，譬如買賣古董，你首先會問什麼問題呢？」

「我會問他，對古董這一行瞭解多少。」年輕人回答。

「當然！」布朗太太說，「你知道如果你的朋友不瞭解他所要買賣的貨品以及相關市場的話，這事業就很難成功。可是，我們經常這樣問自己嗎？我們需要金錢，以及錢財所能買到的東西，可是我們對金錢又瞭解多少呢？我們對稅務、投資和理財知道多少呢？而這些都是創造財富最需要的知識。

「假如你不太瞭解稅法，舉例來說，你可能發現自己交繳了比應繳更多的稅。別誤會，我不是建議你逃稅。我的意思是說，如果你瞭解現行稅法，掌握了這方面的專業知識，你就可以確定自己繳的稅額到底對不對。」

年輕人記下一些重點。他對財稅和投資還真是一竅不通，可是，如果瞭解這些常識，也許真的可以合法節稅。

「掌握了某些專業知識，你就可能減少一些支出。」布朗太太說。

「怎麼說呢？」年輕人問道。

「有一個很好的例子，那就是信用卡貸款。」布朗太太解釋說：「很多人卡債高築，每個月都要額外付出高額的利息。其實他們可以向銀行貸款，先償還信用卡賬單，因為銀行的利息通常比信用卡利息低多了。這樣一來，就可以減低每個月的利息支出。」

「真的嗎？」年輕人驚叫，「你是說，我可以減少每個月付給信用卡公司的利息？」

「當然。」布朗太太說。

「我以前真是笨啊！」他喃喃自語。

「別太自責，」布朗太太說，「由此可見專業知識有多麼重要。」

「的確如此！」

「如果你想得到一份高薪的工作，專業知識更是重要。」布朗太太繼續說，「想賺取高薪，你就必須知道哪些工作可得高薪，以及需要什麼專業知識、資格，才能得到這些工作。同理，你如果決定自己創業，就得確信自己非常瞭解這個目標行業。」

「我明白你的意思，可是沒辦法做到無所不知吧？」年輕人問。

「沒錯！」布朗太太回答，「我並不是說你必須知道所有的答案，但至少需要知道如何去找答案。如果你不懂稅務，就需要雇用一個值得信任又瞭解稅務的會計；如果你不瞭解這一行，就得跟懂這一行的人一起合作；如果你不懂行銷，就必須雇用一個行銷高手來為你工作。

「最好的律師也不見得熟悉所有法律，一個人的腦袋不可能塞進這麼多東西，而且法律條款經常有所變動。可是，一個好的律師知道到哪裡去找所需要的法律條款。」

「那你是怎樣創造財富的？」年輕人問。

「當時，我知道我必須找到賺錢之道。問題是，我能做什麼呢？我有什麼專業知識呢？答案是──很少，我唯一有瞭解的就是電腦。我其實沒有什麼資格，也不具備專業知識，可是我知道，如果要創造財富，就必須彌補這缺陷。

「所以我去夜校上課，學習電腦知識。我知道電腦將在許多行業中扮演重要角色，而不管在哪個行業，一張電腦專業的文憑都會很有價值。我學得很好，最後，只憑一部電腦、一台印表機和一支電話，我開始了自己的顧問事業。我打電話給許多家公司，詢問他們辦公室裡是否使用電腦，如果是，是用在哪一方面？會不會遇到什麼問題？」

年輕人微笑著說：「我懂了……瞭解潛在客戶的需求。」

「對了！我確定了服務的範疇，這恐怕是最重要的專業知識──瞭解潛在客戶需求的知識。如果知道客戶需要什麼，你就可能成功。許多人把創業焦點放在能夠為客戶提供什麼，可是真正成功的企業家會另闢蹊徑，從客戶的角度考慮：『客戶的需求是什麼？』然後再針對性地採取策略。

「我瞭解潛在客戶的需求之後，便開始向對方提報企劃書，說明我的服務可以幫助他們提高效率、節約成本；可以幫他們配置硬體，並根據他們的需求設計軟體；我還可以為他們示範如何在工作中有效率地使用電腦。最後，我還幫客戶計算出使用電腦所節約的成本，遠多於他們付給我的費用。所以，每個客戶對我所提供的服務都很滿意。你知道我的第一個客戶是誰嗎？」

年輕人搖搖頭。

「就是那家資遣我的公司。我知道他們正受到經濟不景氣的影響，於是想到可以為他們設計特殊的軟體，幫他們節省百分之二十五的人事費用。六個月之內，我幫他們配置了新電腦，並設計新的軟體供他們使用，為他們省下了百分之三十五的費用。他們不但非常滿意我的服務，還每年定額付費聘請我擔任他們的顧問。

「第一年，我簽了二十五張合約書，賺的錢比以前的薪水多出五倍。接下來的一年裡，我的生意愈做愈大，得多雇用一個人才能忙過來。三年之後，我累積了一千多萬的財富！所以，中國老人跟我說的話是對的——每個困境都含有一顆更有價值的種子。如果沒有被資遣，我就不會去學習新的電腦技術，也不會獲得今天的成功。」

「這些都得益於專業知識？」年輕人接著說。

「專業知識並不能保證一定成功，」布朗太太說，「記住！財富的祕密有十個，都同樣重要，但要累積源源不絕的財富，不能不掌握一些專業知識，譬如稅務、投資和理財知識，以及相關業務知識。當然，還要瞭解客戶的需求。」

「能不能告訴我，」年輕人在離開之前問道：「那位中國老人到底在哪家公司服務？」

「為什麼這麼問？你想聯絡他？」

「對！」

「我已經試過了。遇到他的三個月後，我就打電話到那家維修公司去找他。」

「結果呢？」

「說來也奇怪，」布朗太太說，「那家公司說他們沒有雇用中國老人當維修員。」

當天回到家，年輕人又看了一次今天的筆記：

知識的力量

- 要累積源源不絕的財富，就不能不掌握一些專業知識，譬如稅務、投資和理財，以及相關業務知識，當然，還要瞭解客戶的需求。
- 知識只是潛在的能量，只有明智而有計畫地實踐後，它才會變成力量。
- 你不一定非得知道所有答案，但至少要知道去哪裡尋找答案，以及如何找到答案。

祕密6

堅持的力量

一星期過後，年輕人在週末與名單上的第六個人見面——名演員史特勞特・艾吉。艾吉先生在外地工作，但都會飛回來度週末。當他聽到年輕人的電話留言之後，毫不猶豫地答應年輕人，週末上午在一家咖啡廳見面。

能夠和這位名演員見面，年輕人十分興奮，也有些緊張。見了面之後，年輕人發現艾吉先生其實非常平和謙遜，並且熱情地迎接他，彷彿老友相見。

雖然年近四十，但艾吉看起來很年輕；戴著一副金邊眼鏡的他，有著一頭黑褐色的頭髮和一雙晶瑩明亮的眼睛；米色高領毛衣搭配藍色牛仔褲，外罩一件皮夾克，閒適卻不失帥氣。

「這麼說，你是兩星期前遇見中國老人的？」艾吉問道。

「是的。」年輕人把自己和中國老人相遇的經過簡單描述了一遍。

「我是在十二年前遇到他的，就在這家咖啡廳裡。」艾吉先生說，「那次相遇改變了我的事業和人生。」

「發生了什麼事呢？」年輕人問。

「嗯……那時，我的事業陷入低潮，我沒有什麼工作，所以經常來這家咖啡廳閒坐。有一天，我坐在吧台等一個靠窗的位子。後來那位中國老人走了進來，就坐在我旁邊。那是一個安靜的下午。他跟我打招呼，我們就很快交談起來。

「我向他抱怨說，我是個一直在等待機會的演員。表演這一行的問題就在於，等待機會的人太多，工作機會卻很少。百分之九十的演員經常失業，必須在表演工作之外，再找另一份工作餬口。

「老人卻對我說：『你不能坐在這裡等待機會，你必須走出去，創造機會。』

「我馬上辯解說，我不是沒有努力，事實上，我已經參加過好幾場試鏡，可是沒有導演要我，頂多也只是當臨時演員。老人喝了一口飲料，抬起頭說：『那你得像個石頭切割工人。』我問他那是什麼意思，他解釋道：『石頭切割工作必須一點一點地進行，不可能一斧頭就能砍出裂縫來。可是，只要堅持做下去，總有一天可以把石頭切割成你想要的樣子。切割石頭的功夫來自累積，如果要成功，就得堅持下去。』

「我問他：『你的意思是說，我得繼續嘗試，直到找到機會為止？』他點點頭說：『那當然！成功者和失敗者的差別，不在於有無天賦，而在於是否堅持！成功的人就是在別人放棄或失敗的時候，才開始成功。』

「接著，他提到幾個電影明星，像席維斯．史特龍、克林．伊斯威特、史恩．康納萊——他們都是在早期出道時，被拒絕了無數次的人。有人批評史特龍連話都說不清楚，所以連一個經紀人都找不到，最後只好自己寫劇本，並打算擔綱劇中的主角。他把劇本送到許多家製作公司，卻一一被回絕。但是，他並不就此放棄，而是堅持到底。終於有一家公司願意把他的劇本拍成電影，可是附帶一個條件——主角必須由別人來演。

「儘管當時史特龍已經陷入經濟困境，但他還是堅持自己的原則。最後，製作公司終於答應讓他擔任《洛基》的主角。後來，這部電影打敗眾多強勁對手，榮獲奧斯卡最佳影片獎。所以說，席維斯．史特龍的成功並非由於他天賦異稟，而是因為他的堅持。

「中國老人說的故事的確很有激勵作用，我從來沒想過堅持有這麼重要。即使是那麼有名的明星，原來也難逃被拒絕的命運。後來我發現，許多名人不但也都曾被拒絕過，有些人被拒絕的次數還真不少，說不定比我還多。接著，中國老人告訴了我關於財富的祕密。」

「你當時是怎麼想的？」年輕人問道。

「我一開始很懷疑。」艾吉先生說，「不過我當時閒著也是閒著，所以就決定去瞭解一下，看看是不是真的有所助益。那真是個關鍵時刻，我的生命從此改觀了。我說的可是個大改變喔！我本是一個身無分文的臨時演員，一年後，終於得到了第一個正式的角色以及片酬二十五萬美元的演出合約。」

「天啊！」年輕人不禁大叫起來，「真是不可思議！你的改變未免太大了！」

艾吉先生點點頭說：「這就是那些祕密的力量。遇到中國老人的時候，我正處於事業的最低潮——我找不到經紀人，更別說工作了；我被三十個以上的經紀人拒絕，有些人甚至建議我改行，他們說我根本不具備演員的條件。但是，我遇到了中國老人，學到了財富的祕密。

「這些祕密對我的影響都很大，不過，其中有一個是我特別需要的，那就是『堅持的力量』。」

年輕人拿出記事本和筆，開始寫筆記。

艾吉先生說：「美國第三十任總統柯立芝曾經寫過這麼一段話：世界上沒有任何東西能取代堅持。天賦不能，擁有天賦的人無法成功是最平常不過的事；天才也不能，默默無聞的天才司空見慣；光是教育也不能，這世界到處都是受過教育的庸才。只有堅持和決心才是萬能的！」

艾吉接著解釋道：「不管是努力致富，還是成為某一行的頂尖人才，成功者和失敗者最重要的差別就在於，成功的人永遠堅持到最後，永不放棄；不管面對多大的障礙或挫折，他們都不會放棄。成功者知道自己需要什麼，並堅持到達成目標為止。

「歷史上許多成功人士都承認，他們之所以成功，是因為堅持到底。想像一下，如果你要發明一種新產品，你願意經受多少次失敗？一百次？兩百次？一千次？還是五千次？」

年輕人聳聳肩。

「因為，」艾吉先生繼續說，「偉大的發明家愛迪生在成功發明世界上第一個電燈泡之前，曾歷經上萬次的實驗失敗。如果他沒有堅持到底，我們今天恐怕連電燈泡為何物都不知道。

「或者，如果你是一個搖滾樂團的成員，你願意承受多少次被唱片公司拒絕的經歷？五次？十次？還是廿次？」

年輕人笑著說：「我想我可以忍受被拒絕二十次吧。」

「有一個樂團不是這樣，如果他們跟你一樣，就不會成為當時最成功的樂團了。『披頭四』在錄製第一張專輯之前，被五十家以上的唱片公司拒絕過。

「我再講最後一個例子：想像有一個年輕人，一直夢想成為偉大的政治家。他的事業成功不久，就在三十二歲那年，卻宣告破產；三十五歲時，青梅竹馬的夫人死亡，一年之後，他精神崩潰；接下來的幾年內，又屢屢在總統競選中落敗。你認為他應該在什麼時候放棄？」

「我不知道，不過，這個人聽起來不太可能成為一個偉大的政治家。」年輕人說。

艾吉先生微笑著說：「這個人就是亞伯拉罕．林肯先生。」

年輕人連忙低頭記下重點，並說：「我從來不知道，如此成功的人也曾經這樣落魄過。」

「當然囉！其實，成功的人之所以會成功，都是因為他們曾經失敗過許多次。」

年輕人笑著記下，然後抬頭問道：「我不太明白，你是說，只要不斷嘗試，就一定會成功？」

「是的！絕大多數時候是的。」艾吉先生回答，「失敗提供了我們學習的機會。愛迪生在發明電燈泡時，並不是重複一萬次相同的實驗，他會總結每一次的失敗經驗，然後做一些適當的改變。堅持是我們與生俱來的本質，你看過一個學走路的小孩，會因為一直跌倒而放棄學步嗎？」

「那我們後來怎麼會失去這種本質呢？」年輕人不解地問。

「有時是因為我們害怕失敗和被拒絕，有時則是因為我們自信不足。但我們真正忘記了的是，失敗和拒絕是成功之前最重要的磨練。你甚至可以說，經歷愈多失敗和拒絕，你就愈可能成功。」

「我不懂。」年輕人說，「這怎麼可能呢？」

「因為失敗是通往成功的階梯；我們從失敗中學習，就等於一步步接近了目標。喬治．蕭伯納說過：『我在年輕的時候，每做十件事，其中就有九件都是錯的。我不想做失敗者，所以，我總是花十倍的精力去做一件事。』

「不論任何行業，你都可以找到真正成功的人，然後你會發現，他們成功之前，都吃盡了失敗和拒絕的苦頭。我第一次發現堅持的重要性時，正對自己的演員之夢感到絕望，更別說成為一位名演員了。可是我瞭解到，如果想成功，就必須繼續堅持。因此，我相信自己，以及自己的能力。我已經有了特定的目標，接著就寫出行動計畫，然後不停地試鏡，直到九個月之後，我得到一個機會。」

「可是，如果你一直失敗，始終得不到結果，要堅持下去一定不容易，不是嗎？」年輕人說。

「沒人說容易啊！否則不就人人都能做到了？」艾吉先生說，「可是，成功者和失敗者的不同之處就在於，成功者認為真正的失敗並不存在，自己只是從經驗中學習罷了。」

「這是什麼意思呢？」年輕人問。

「很簡單，如果沒有得到期望中的結果，你就要從經驗中學習，然後再試一次。事實上，成功的不二法門就是：願意犯錯誤，願意學習，並願意繼續嘗試。美國前任總統羅斯福曾說過：『去做勇敢的嘗試，去贏取光榮的勝利，即使其間可能失敗，也比那些不敢嘗試，從不知失敗為何物，更不曾成功過的人來得優秀。』

「為什麼成功的人那麼少？其中一個原因就是，很多人不願意經歷失敗。不過，有一個方法可以讓你在經歷失敗時更容易堅持下去。」

「該怎麼做？」年輕人迫不急待地問。

「分析每一次嘗試。我的意思是，人們在失敗的時候，往往只關心自己做錯了什麼，但這會使自己感到沮喪，並因此失去信心，沒有勇氣再做嘗試。成功者會把焦點放在自己做對了什麼，所以，如果沒有得到預期的結果，他們就會問自己：『到目前為止，我至少做對了……』」

「我不太明白你的意思。」

「好，以電腦銷售員為例，他打電話給一個客戶，先自我介紹，然後問客戶要不要買一台電腦？客戶說不買，然後對話就結束了。這位電腦銷售員做對了什麼？他至少打了電話，知道了那位客戶不需要電腦。

「接著，這位電腦銷售員再試一次，打電話給另一位客戶。這次，他換了另外一種問法。他會問客戶，是否有興趣瞭解可以在辦公室裡使用的一些最新電腦技術。這一次客戶說有興趣，可是沒時間研究。這次，這位電腦銷售員做對了什麼？他問了不同的問題，而且知道客戶有興趣，但是沒時間。

「接著，再試一次，打給了第三位客戶，問道：『有沒有興趣給我五分鐘時間？我將為你講解如何節省百分之五十的辦公室開銷。』這位客戶很忙，可是很有興趣知道如何節省開銷，而且下班之前花個五分鐘應該不會有什麼損失，所以就答應了。電腦銷售員成功爭取到一段時間，得以介紹他的產品。

「不論做什麼事，我們都可以問自己這樣的問題，增強堅持的信念。」

年輕人迅速記下一些重點，艾吉先生繼續說：「我曾經認為，我們的生命早已天生注定。但現在，我卻堅信，我們都擁有創造自己命運的力量。

「我這一生學過最具鼓舞作用的道理就是：我們永遠比發生在自己身上的事件更有

力量。不論遇到什麼事，我們只要堅守石頭切割工人的精神，一斧一斧不斷敲下去，就一定能夠成功。」

艾吉先生伸手從口袋裡拿出一張紙條，「我每天都帶著這張紙，提醒自己繼續堅持。」說完，他把紙條遞給了年輕人。

年輕人打開紙條，上面寫了一首詩：

別放棄！
當你做錯了事情，
當你總是在走艱苦的上坡路，
當你的存款很少，可是債務很多，
當你想要微笑，可是必須歎息，
當你的期望總是無法達成，
如果需要，休息一下——可是絕不能放棄！
我們都應該明白，

失敗者都應該明白，
人生充滿了變數與意外，
當你眼看就要勝利，卻跌倒在地，
別放棄！雖然走得慢，但你終會到達。
成功是失敗的另一面，
你永遠不知道自己有多接近，
可能很近，可是看起來很遠，
所以當你尚未到達，情況愈來愈糟，
如果需要，休息一下——可是絕不能放棄！

這天晚上，年輕人花了很長時間思索自己的人生。回想過去這些年，他發現自己一點也不堅持，每當困難出現，或有了一點阻礙，他就馬上放棄，轉而尋找別的辦法。跟艾吉先生談過之後，他突然明白，如果要成功，就得改變此一弱點，學習石頭切割工人的精神。不管前路有什麼障礙，都要堅持下去，不斷地堅持，直到成功為止。

年輕人拿出筆記本，重新看了一遍今天所做的筆記：

堅持的力量

- 成功不是一次努力的結果，而是許多努力的累積。
- 成功者和失敗者的差別不在於有無天賦，而在於是否堅持。
- 當行動沒有達到預期結果時，就問自己：「到目前為止，我做對了什麼？」這樣才有再試一次的勇氣。
- 如果能學習石頭切割工人的精神，堅持，再堅持，不斷堅持做下去，並且從每一次失敗的經驗中學習，最後必定能獲得成功。

祕密7
預算的力量

年輕人名單上的第七個人，是位叫做茱蒂．歐門的女士。年輕人在第二天早上打電話過去，確定那天下午的約會。

歐門女士是位身體健壯的黑人女士，個子高挑，只比年輕人矮一點，大約四十出頭，有著暗褐色的眼睛和深棕色長捲髮，配上亮紅色長毛衣和黑色緊身褲，看起來挺有魅力。

歐門女士的辦公室就設在她位於市郊的居家後側，是個光線明亮且視野寬闊的房間，角落擺了一張大橡木桌，搭配一張高背橡木椅；桌上有一部電腦、兩支電話和一排檔案；桌子左側是一扇法式窗戶，窗外是一片花園和遠方一排石塊砌成的弧形房舍。花園草坪上種著幾棵楊柳樹，最特別的，是花園盡頭有一條蜿蜒流過的潺潺小溪。

「這景觀真是太美了！」年輕人讚歎說道，「工作時可以看到這麼棒的風景真好。」

歐門女士笑著說：「謝謝！的確很棒。我一直夢想能夠在家工作，而且能夠一邊欣賞美景。當然，在家工作的最大好處，就是我可以有多一點時間陪伴家人，而不需要耗費大量時間在擁擠的交通上。我知道很多人每天要花三個小時往返於公司和家裡。你能想像嗎？這太可怕了！這樣等於每個星期要花十五個小時的時間上下班，相當於兩個工作天呢！時間，是世上最珍貴的財富，甚至比金錢還重要，因為時間一旦失去，就永遠不會再回來。」

歐門女士示意年輕人在一張扶手椅上坐下，自己則在對面坐下。她緊接著說道：「所以，你今天來是想瞭解財富的祕密？」

年輕人點點頭說：「是的！你第一次聽到關於財富的祕密是在什麼時候？」

「嗯……我想想，我第一次聽到是在十年前，那時我的境況跟現在截然不同：當時我剛剛跟第一任丈夫離婚，承擔了一堆債務，卡債好幾萬英磅，又因為房屋貸款尚未還清，銀行也訴諸法律要查封我的房子。於是法院限我一個月內償清所有積欠的款項，否則我將失去所有的財產。」

「天啊！」年輕人叫道，「那你是怎麼熬過來的？」

「那天的情景我記憶猶新，」歐門女士說，「我坐在法院門口的椅子上哭，思緒混亂，六神無主，因為我覺得眼前毫無希望。後來，我感覺有一雙溫暖的手搭在我肩上，一抬頭，看見了一位矮小的中國老人。他穿著一身剪裁合宜的西裝，就坐在我旁邊，我想他應該是法院的工作人員。他問我需不需要幫忙？我只是謝謝他，並坦言他幫不了我的忙。他跟我說了很多，可是我幾乎都不記得了，除了那句話——他向我提到一個解決問題的黃金定律：『當你認為自己已經竭盡全力時，記住，其實你還是有辦法的！』」

年輕人記得那老人也曾這樣告訴過他，於是微笑了。

「中國老人提到了『財富的祕密』。當然，我以前從不曾聽說過，可是我對老人的說法有一點好奇。而這也是我第一次聽到有人說，我們可以掌握自己的命運。從前，人們總是告訴我，人生有甘有苦，成敗其實都早已命定。可是這位老人告訴我的，卻完全相反；他說，我們不但可以掌握自己的人生，而且還擁有創造財富的力量。

「最後，老人在離開之前給了我一張小紙條，他說這可以幫我解決問題。看到紙條時，我完全糊塗了，因為上面只寫了一排人名和電話號碼。」

「我知道這種感覺。」年輕人笑著說。

「老實說，我當時並不抱太大希望。」歐門女士說，「不過，我還是聯繫了紙條上的所有人。雖然我並不確定那些財富的祕密是否有用，但是，他們都擁有不同的成功經驗。我試著依照學來的道理去實踐，漸漸地，我的人生開始改變。」

年輕人打開筆記本，開始記錄。寫完之後，他抬頭問歐門女士：「你的人生到底有什麼改變？」

「首先，我比較快樂了，因為我開始感到自己有更多能力去掌控人生。然後，出乎我自己意料之外，三年之內，我不但還清了所有債務，還有了一點點積蓄，足以開創自己的小事業。」

「你認為哪一個祕密是你改變的關鍵？」年輕人問道。

「所有祕密都很重要，」歐門女士回答，「但現在回想起來，的確有一個祕密對我影響特別大，那就是『預算的力量』。」

「預算怎麼能夠幫你創造財富呢？」年輕人懷疑地問。

「第一，你要記得，財富並不是指你能賺多少錢，而是賺的錢能夠讓你過得多好。」歐門女士解釋道。

「這有什麼差別？」年輕人說，「賺得愈多，就能負擔愈多的消費，生活當然也就愈好了，這是肯定的嘛！」

「這倒不盡然。」歐門女士認真地說，「通常你會發現，賺得愈多就花得愈多，犧牲也愈多。舉例來說，你的薪資愈高，可能工作的時間就愈長，相對地，陪伴家人的時間也就愈少。如果你賺了許多錢，一個星期卻抽不出幾個小時來陪伴孩子，你認為這樣算是富有嗎？」

年輕人抹抹額頭說：「我懂你的意思了。」

「財富指的是生活品質好壞，而非賺錢多寡，」歐門女士解釋道，「要體驗富有的感覺，並不需要有上億錢財，只要去過你真正想過的生活就可以！」

歐門女士繼續說：「因此，如果你想要擁有財富，首先要學會如何依自己的意思去生活，也就是如何控制預算。賺五百塊，花四百塊，會帶給你滿足感；如果賺五百塊，卻花了六百塊，那生活就悲慘了。我的意思是，當開銷大於收入時，你就會有麻煩。」

「我明白你的意思。」年輕人說，「開銷低於收入的生活，可以避免負債。可是，這並不能幫你增加收入啊！對吧？」

「當然可以！」歐門女士說，「控制預算是創造更多收入的必要途徑。」

「是嗎？」年輕人問道，「怎麼說呢？」

「要累積財富，並維持財富的量，就需要持續地累積收入。這點你同意嗎？」

年輕人點點頭。歐門女士繼續說：「不論你有多少財產，如果你沒有持續的收入，這些財產就可能愈來愈少。而創造持續性收入的唯一方法，不是賺更多的錢，不然就是讓一部分的錢替你賺錢。」

「你是說存錢或投資？」年輕人問。

「是的。如果你定期存錢，或者做明智的投資，你的錢就可能幫你賺進利息。」

「可是，得先有足夠的錢可以存起來或投資啊！」年輕人辯解道，「就拿我來說吧，我的錢付賬單都不夠，就別說存錢或者投資了。」

「相信我，你一定可以做得到。」歐門女士肯定地說，「不過，你當然得有個承諾才行。你必須告訴自己：『我的一部分收入是我的。』」

「別開玩笑了，我的所有收入都是我的。」年輕人說。

「你只是這麼說而已，卻很少這麼做，所以你現在的收入都不是真的屬於你，而是用來支付賬單。」

「嗯……話是這麼說，可是……」年輕人支吾道。

「很多人——我也曾是其中之一——總覺得自己一生都被債務追著跑，辛苦工作只是為了負擔一堆永遠還不完的賬單和貸款。然而，這是因為自己不把收入留給自己。你如果想創造財富，就必須留一部分收入給自己，用這部分錢去投資或存起來，從而賺取真正的收入。」

「可是我不認為自己可以存下多少錢。」年輕人堅持。

「那是因為你沒有理智地控制預算。」歐門女士解釋道，「我確信，你一定沒有努力地想要存錢或投資。」

「可能吧！因為這說起來容易，做起來難啊。」

「嗯，我所能告訴你的，就是曾經對我有效的方法。無論如何，從省下百分之十的收入開始做起。不管賺多少錢，你都要把開銷控制在百分之九十之內。相信我，這比你想像中的容易。你得訓練自己這樣做，並成為習慣。這意謂著，短期內你可能必須放棄生活中比較奢侈的一些消費習慣，但是長期來說，這樣做是值得的。

「假設你選擇定存，每個星期至少存兩百塊，這樣一年就能存一萬塊，而且有百分之八的利息。二十五年之後，你不但能存下二十五萬，累計的利息還會讓你的總存款達到七十八萬九千五百塊！」

「真的嗎？」年輕人驚叫，「這怎麼可能呢？」

「利上加利啊！」歐門女士解釋說，「第一年，你的利息是一萬塊的百分之八；可是第二年，你的利息就變成兩萬零八百塊的百分之八了。這表示，你每年的利息都會累加到本金之中，這種利上加利的方式可以使你的存款累積得比較快。」

「那通貨膨脹呢？」年輕人問道，「如果通貨膨脹率已經超過百分之八，你的利息還是百分之八，那錢豈不愈存愈少？」

「完全正確！」歐門女士回答，「雖然現實中利率通常比通貨膨脹率高，但是，如果你每年都存同樣數目的錢，考慮到通貨膨脹的因素，你的存款的確會愈來愈不值錢。所以，你應該用收入的百分比來計算存款的數目。因為你的收入應該會隨著通貨膨脹而逐年增加，至於存款數目也應該逐年增加才行。不過，我舉這個例子的用意，是為了讓你瞭解控制預算和定期存款、投資的重要性。

「當然，還要注意一點，就是當你在存錢或投資時，必須瞭解與之相關的一些基本知識，或者去諮詢瞭解這方面專業知識的人，譬如會計師或財務顧問。你必須確保所選擇的投資方式或存款方式是最適合你自己的，這會根據你的收入、婚姻狀態、稅務狀況，以及你是否擁有不同的投資經驗……等因素，而有一些彈性變動。

「不過，重點還是控制預算，永遠記得從收入中留一部分錢用於投資理財，這樣你才可能用現有的錢去創造未來的財富。並且，愈早開始做預算愈好，十年的延遲可能造成天壤之別。所以，年輕時就開始存錢是非常重要的。

「當然，可是一個人從二十歲開始存錢，跟三十歲開始存錢，差別應該不大吧？」年輕人說。

「嗯，你仔細想想，」歐門女士說，「如果有一個人從二十九歲開始，每年存一千元，一直堅持到六十五歲；而另一個人從十九歲開始存錢，也是每年一千元，但是他只存到二十九歲就不再追加存款。假設他們使用同一種定存方式，年利率都是百分之八。到了六十五歲時，哪一個人戶口裡的錢會比較多？」

「當然是二十九歲開始存錢的那個囉！雖然他起步比較晚，但他持續存了三十六年，而另一個人只存了十年。第一個人的總存款額幾乎是另一個的四倍，他擁有的存款當然比較多。」

歐門女士笑了笑說：「讓我告訴你，事實上在六十五歲的時候，第一個總共存了三萬六千塊，而他的本利總和將會是廿萬兩千塊。但是另一個從十九歲開始存錢的人，他總共存了一萬塊，雖然只存了十年就不再追加存款，可是當他六十五歲的時候，本利總和將會累積到廿四萬九千九百塊！」

「是嗎？」年輕人大叫，「差十年會有這麼大的差別？」

「數字是不會說謊的。不是嗎？」歐門女士說。

年輕人屏住呼吸，他立刻意識到，自己最好趕快開始存錢，但他還是不知道如何才能把錢存下來。

「我承認控制預算和定期存款很重要，理論上聽起來似乎不難，可是實踐方面呢？你是怎麼做到的？」

「我第一次聽說預算的重要性時，也是抱著存疑的態度，尤其當時我還有好幾個債主。不過我知道，如果要繼續過日子，就得這麼做，我必須嘗試一方面留下百分之十的收入，以供將來投資所需，另一方面還要清還債務。」

「你怎麼能夠同時還債又存錢呢？」年輕人不解地問。

「我去拜訪每一位債權人，向他們解釋我的財務困難，並承諾按月分期償還債務。他們知道我不可能一次還清，靠分期還款，他們至少還能拿回那些錢，所以同意我用這種方式還債。

「接下來我開始做預算。我把收入的百分之七十當生活費，百分之二十用於還債，百分之十留給自己進行投資。這樣一來，既還了錢，又可以開始存一點錢，我覺得很快樂，很滿足。當然，這一點也不容易！我得減少一些奢侈的花費，譬如帶自己做的三明治到公司當午餐、購買價格便宜的商品、晚上很少出去玩樂、只挑打折的時候買衣服。

「但是，控制預算之後，我工作得更起勁了。幾年之後，我不但還清了所有債務，還累積了一點資本，剛好足夠我在家裡開創自己的小小事業。其實，就是控制預算刺激我去創業的。」

「怎麼說呢？」年輕人問。

「嗯，你可以想像我當時的生活預算實在很緊，所以經常去拍賣會上買非常便宜的用品。有一天，當我把一件從拍賣會上買回來的便宜貨展示給朋友看時，朋友問我，怎樣才能知道拍賣會在哪裡舉行？突然，我腦子裡閃過一個念頭——可能有很多人都對拍賣會感興趣，卻很少人像我這樣，對於拍賣會在何時何地舉行瞭若指掌。

「於是，我開始整理拍賣快訊，每月一期，列出各地的拍賣會細節。我付錢在地方報紙上刊登廣告，如果有人要訂閱，只需花一點訂閱費，就可以定期收到我的拍賣會快訊。結果，反應相當熱烈！

「之後我覺得，這份快訊可以推廣到全國各地，於是又在全國性報紙上刊登廣告，很快地，全國各地的訂閱單紛至沓來。」

「真是太棒了！」年輕人高興地說。

「是啊！的確是！這些都要感謝我的預算策略。如果不控制預算，我就不可能有資金創業；如果不曾經歷過財務上的困境，我的事業也不會成功。你知道嗎，超過八成的創業者都會在創業一年內失敗，就是因為投資過快，又沒有做好預算。」

年輕人顯然沒有聽過這個說法，他聳聳肩。

「可是，更重要的是，」歐門女士繼續說，「控制預算除了讓我成功開創了自己的事業之外，更幫助我為自己的未來創造了財富。」

「你真的認為控制預算這麼重要？」

「絕對是的！」歐門女士回答，「我並不是說你應該像清教徒一樣過日子，完全排除生活中的享樂。可是，如果財富對你來說非常重要，那就得有所犧牲。我的意思是，你只能把錢花在那些真正需要花錢的事情上，千萬別累積出你無法償還的債務。

「我認識一個從事室內裝潢工作的人，收入很少，跟太太及四個孩子住在一間租來的簡陋公寓裡。後來他借了十萬元創業基金，結果，他竟然用這些錢帶老婆孩子出國去迪士尼樂園玩了六個星期。回來之後，他連幫孩子買新鞋的錢都沒有了。他們全家從此沒有一天好日子，而他為了彌補這個財務破洞，幾乎把自己葬送在無窮無盡的工作上。

「你看看，他就是因為不會控制預算，而付出了巨大的代價。很多人都誤以為自己的人生受制於宿命、運氣或機緣，事實卻是，如果我們所處的狀況不如預期，那麼該被責備的，只有自己，而不是其他任何人。

「這是我所學到最重要的一個課題。很多人以為自己的命運早已注定，無力改變。其實錯了！命運是自己寫成的，是由你每一天的生活累積而成的。人們經常把自己的問題怪罪於經濟、政府、父母，甚至天氣，卻不知道唯一該對自己負責的，只能是你自己，也只有你自己才有力量去改變。我們的思想和行為構成了人生的課題，而財富的祕密就是告訴我們，如何使人生的課題更有意義，同時讓你的夢想成真。」

歐門女士說話時，年輕人一直認真地做筆記，隨後抬起頭說：「你的意思是說，控制預算不會在一夜之間就創造出財富，但是會幫助你在未來形成源源不絕的財富，是嗎？」

「完全正確！」歐門女士說，「而且每個人都可以做到。首先，控制預算會讓你免於陷入不必要的債務；第二，控制預算能夠讓你的金錢為你工作。」

「可是你得等待一段時間才能得到回報，」年輕人說，「我承認控制預算和定期存款對人生的晚年有助益。可是，控制預算如何幫助你在當下創造財富？或在短期可見的未來創造出財富呢？」

「你如果要財富源源不斷，就得去建構它。控制預算不可能讓你一夕或一年之內致富，但是它所建構的是你未來的財富，確保你能夠更好地照顧家人、遠離債務，甚至到最後，你可能成為那不到十分之一，能夠在晚年實現經濟獨立的人之一。只要每個星期存下百分之十的收入，你絕對可以累積出足夠創造更多財富的資產。

「不過，你一定要注意短期投資的方式。」歐門女士警告說，「高風險性的投資是很危險的，寧願小心一點，切勿釀成大恨！在一生之中，你很可能會數次遭遇必須冒險的時機，但是，切記謹慎衡量風險，不要盲目投機。」

年輕人抬起頭來說：「不過，當你累積到巨額財富的時候，控制預算就不再那麼重要了吧？」

「錯了！你會發現，若沒有控制預算的觀念，花錢就會如流水啊！」歐門女士繼續解釋道，「會花更多的錢去買更大的房子、更好的汽車、更貴的衣服、去更奢侈的餐廳、安排更多的假期——除非意識到必須控制自己的預算。當然也有特例，有些人毋須擔心花費多寡，不過大部分人都不屬於這種人，甚至很多千萬富翁也一樣。

「其實，為什麼很多中了大獎或彩券的人，最後仍落得一文不名？就是因為沒有控制預算的觀念。這些人只會花錢，卻不知道有計畫地花錢。記住！財富是創造持續性收入的手段。如果沒有創造出持續性的收入，金錢很快就會消耗殆盡，就像沒有活水流入的湖泊。所以，沒有了控制預算的力量，你就無法創造，也無法保有源源不絕的財富。」

年輕人回到家，趕緊把這天的談話記錄拿出來復習：

預算的力量

♣財富並非指你能賺多少錢，而是賺的錢能夠讓你過多好的生活。

♣控制預算能幫助你生活得更快樂滿足，還能幫助你創造更多的收入。

♣任何人想要永保財富，就必須創造出持續性收入。

♣你只有一部分收入是屬於自己的。留下收入的百分之十做為投資之用，才能為未來創造財富。

♣讓你的金錢為你工作，不要讓自己總是為金錢工作。

祕密8

誠實的力量

在這座城市裡，很少人沒聽說過誠實的亨利。這是一家專門銷售優質傢俱的平價連鎖店，這家店的特色在於：如果你要買值得依賴的產品，但是不考慮品牌，那麼，誠實的亨利將是最好的選擇。這家店童叟無欺，你不會受騙；所有產品都設計簡潔，而且價格便宜，而且，如果不滿意，保證可以無條件退回。這家連鎖店的創辦人，同時也是老闆，叫做亨利·布魯克，是年輕人名單上的第八個人。

當年輕人步入布魯克先生的辦公室時，他馬上從椅子上站起來，熱情地迎向年輕人。布魯克先生身材矮小、臉蛋圓圓胖胖；五十四歲的他戴著一副黑色細邊眼鏡，使得那圓圓的臉上那一雙眼睛更顯得小巧晶亮。

年輕人向布魯克先生簡潔地敘述了自己和中國老人相遇的經過。

「太棒了！」布魯克先生聲如洪鐘地說道，「這麼說，你想成為富有的人囉？」

「是的！」年輕人承認。

「到目前為止，你對財富的祕密感覺如何？」

「非常有意思！」年輕人回答，並反問道：「那你覺得呢？」

「我得從三十年前談起，」布魯克先生說，「那時我才二十幾歲，一天到晚只想賺錢，賺很多錢。我不在乎如何賺到錢，因為我的夢想是要在四十歲生日那天成為億萬富翁。而這就是我的最大問題所在。」

「為什麼？」年輕人不解地問，「我以為明確的目標是創造財富的基本條件呢！」

「的確是啊！」布魯克先生回答，「可是，我並不是說我的目標是成為億萬富翁——如果是這樣就好了。我的問題是，我不在乎怎樣達到目標。我太過渴望成為有錢人，卻忽略了一個很重要的祕密，那就是——誠實的力量。

「《聖經》中問到，如果一個人得到了全世界，卻失去了靈魂，那會怎麼樣呢？我保證還沒有人曾給出比較真實的答案。世上沒有任何人會比失去誠實、廉潔和自尊的人更窮了。如果不廉潔、不誠實，不管有多少錢，你都不會感到富有，而你所有的積蓄也將是短暫擁有。用不誠實和欺騙手段獲得的財富，就等於用沙子搭蓋而成的房子，很快就會消失。

「我的第一份工作是在一家賣窗戶的公司任職。我們的推銷方式是，去敲人家的門，提出幫他們免費檢查窗戶。很自然地，我們一定會推銷自己的產品。我們以便宜一半的價錢幫他們安裝新窗戶，條件是，我們要利用他們的房子進行業務宣傳。通常換窗戶連同安裝費總共需要二十萬元，我們會說，現在只要花十萬元就可以，但要讓我們在安裝窗戶前後各拍一些照片。」

「這生意很好做，」布魯克先生說，「我發現自己很有天分，人們一經推銷，很容易就會同意在合約上簽字。我每簽成一份合約就可以拿到百分之二十的佣金，你可以想像，我簡直賺翻了，我差不多一個星期就可以賺八萬多元。

「可是，有一天出現了變化。我敲了一座宅子的大門，開門的是位中國老人。我依照慣例向他推銷窗戶，但他問我說：『如果我買了新的窗戶，誰是受惠者？你還是我？』我回答：『最好是我們共同獲益。』然後他看著我說：『你真的認為我需要新窗戶嗎？以你的專業眼光來看，我原來的窗戶真的不適用？』

「這老人有點怪怪的，但我不知道哪裡怪，只是覺得他讓我不太舒服。我騙不了他，這也是我做這份工作以來第一次說實話。我起身要走時，老人從椅子上站起來，握著我的手，謝謝我的誠實。他說他可以感覺到我渴望過好日子，並問我想不想知道過好日子的更好方法。

「我當然很好奇，所以留下來聽他說。我以為他有什麼賺錢高招，沒想到他告訴我的竟然是財富的祕密。他給了我一份名單，說這些人可以為我解釋更多細節。於是我跟名單上的人一一聯絡，跟他們相約見面。就這樣，我聽到了更多關於財富的祕密。

「這些祕密使我的人生觀完全改變，我的生活也因此改變了。兩年之後，我的收入竟然比之前增長了四倍。」

「你是怎麼做到的？」年輕人問。

「我先是在一家市場裡擺攤，賣小型的家庭用品。兩年之內，我開設了自己的小店面。再過三年，我已經擁有三十家以上的連鎖店。又過了兩年，我的年收入已經高達千萬元以上。」

「你確定如此成功都是歸功於那些財富的祕密嗎？」年輕人問道。

「這是不容置疑的。」布魯克先生說，「但對我影響最大的祕密，恐怕是『誠實的力量』了。」

「誠實？」年輕人不解地問。

「是的！誠實正直是做生意的原則。」

「真的嗎？誠實使你成功？」年輕人問。

「沒錯！誠實是成功的基本要素，同時可以為你的人生創造財富。我告訴你原因。首先，一個人如果做生意不誠實，他很難對自己產生好感；如果你對自己沒有好感，那麼不管做什麼，你都很難堅持下去。

「其次，不管我們做了什麼，最後的結果都會回到自己身上。你一定聽說過『風水輪流轉』吧？」

「當然聽說過。」

「這是真的，而且是生命的基本法則。印度教稱此為『因果』，《聖經》裡叫做『審判』——你如何播種，就如何收穫。不管怎麼稱呼，這都是人類無法逃避的法則。我們的所作所為、所言所想，都會像迴力棒一樣，最後又回到自己身上。」

「你是說，如果你騙人，也可能被騙？」年輕人說。

「完全正確。當然不是說被你騙的那個人會反過來騙你，而是說你會得到相同的報應。」

年輕人想起自己也有過幾次不誠實的經歷。他首先想起的是，有一次他沒有生病，卻騙老闆說他生病了，藉機請假不去上班。他知道這種行為不對，可是，為什麼其他人都可以說這種謊，他就不行？

「如果別人都在做一些不誠實的事，你會怎麼辦呢？」年輕人問道。

「別人怎麼做是別人的事，」布魯克先生說，「欺騙和不誠實會成為壞習慣，直到被揭露為止。但是到了那一天，你所建構的所有東西都會像磚塊般全部倒塌下來。」

「可是，無商不奸，大部分有錢人幾乎都不是好傢伙，不是嗎？」年輕人忿忿地反問。

「不見得。這樣的說法，跟認為所有窮人都有罪一樣，是很荒謬的。事實上，愈貧窮才愈容易犯罪，高犯罪率的地方通常都是貧窮的地方。」

「為什麼會這樣呢？」年輕人問。

「因為貧窮和缺乏經常成為犯罪的藉口，只有誠實和無欺才能創造真正的財富。」

「可是在我的經驗裡，大多數生意人都會說謊、欺騙。」

「那你恐怕是挑錯了生意夥伴。」

「可是你怎麼判斷對錯呢？尤其當你的競爭者都不誠實的時候。」年輕人反問。

「最簡單的方法就是，在準備計畫或行動之前，先問自己一些問題。第一個問題是：『這合法嗎？』如果不合法，你可能會遇到麻煩。第二個問題是：『這道德嗎？』」

「這有什麼好擔心的呢？」年輕人說，「如果這是合法的，你就不會碰到任何麻煩了，不是嗎？」

「在員警面前，這種想法絕對沒錯。」布魯克先生答道，「但是記住，若要人不知，除非己莫為。如果你做了什麼不道德的事，最後一定會被揭發，到時候，大家都知道你的所作所為，你會有什麼感受？只要打開報紙，你就可以看到一樁道德行為會如何徹底毀掉一個人。」

年輕人點頭同意。

「第三個問題是：『這會使我感到自豪嗎？』如果答案是不，那就表示你做錯了。

第四個問題是：『我樂意被家人知道我的所作所為嗎？』如果你的母親知道了，她會感到驕傲嗎？如果你的作為會讓家人感到羞愧，這表示你做了不對的事。

「最後一個問題是：『我會因為做了這樣的事情而尊敬自己嗎？』如果你做的某件事違背了自己的原則，你將會因此失去自尊。你很難跟一個自己不尊重的人生活在一起，尤其這個人是你自己的時候。

「說了這麼多，其實最根本的原則很簡單，如果不希望別人對你說什麼或做什麼，你就不應該對別人說或做同樣的事。這也就是『己所不欲，勿施於人』的道理。」

年輕人把所有的重點都寫在筆記本上，然後抬頭對布魯克先生說：「所以你的意思是，這些問題只要有一個答案是否定的，不管那件事能帶來多大益處，你都不能去做。是這樣吧？」

「沒錯！太多的人因為要賺錢和追求財富，而忽略了自己的原則，以及一些道德上的考量。事實上，這樣會對自己造成重大傷害。」

「謝謝你告訴我這些，」年輕人站起身來準備告辭，「你這番話值得我回去仔細思考。但我還有最後一個問題，那位中國老人還住在原來那個地方嗎？」

「我不確定他是不是曾經住在那裡。」布魯克先生說。

「這是什麼意思？你不是去過他家嗎？」

「對！不過幾個月之後，我又回去找那位中國老人，想要謝謝他，並告訴他，我的生活有了很大的改變。可是這次來應門的是一對更老的夫婦，他們說住在那裡超過二十年了，從來沒聽說過什麼中國老人。我還問了一些鄰居，也沒有人見過他。」

這天晚上，年輕人坐在床上閱讀當天的筆記：

誠實的力量

♣一個人得到全世界，卻失去了靈魂，那他還擁有什麼呢？

♣我們的所作所為、所言所想，就像迴力棒，最後都會回到我們自己身上。

♣當你用欺瞞、不誠實的方法得到財富，這意謂著財富最終會像磚塊般倒塌下來，不會長久的！

♣考慮開始某項計畫或行動時，先問自己幾個問題：

1.它合法嗎？

2. 它道德嗎？
3. 它會使我感到自豪嗎？
4. 我希望家人知道我的所作所為嗎？
5. 我會因為做了這件事而尊敬自己嗎？

祕密9
信心的力量

這一天，年輕人起得比平常早。他腦子裡仍有許多困惑，財富的祕密對他所拜訪過的那些人都有很大的幫助，可是對他是否也有幫助呢？他一直無法確定這一點。他對自己創業已經有一些想法，可是萬一失敗了呢？如果到最後淪落到比現在還慘呢？他反覆想了一整晚，醒來之後還是毫無頭緒。他從來就不善於抉擇，而錯誤的決定將影響他的下半輩子。他希望下一個見面的人能在這方面對他有些幫助。

除了頭有點兒禿之外，六十幾歲的賽門．路易士看起來還很有活力與朝氣。路易士說，他以定期運動和享受戶外活動來讓自己保有年輕的感覺；他衣著整潔，而且顯然頗講究——剪裁得宜的深灰色西裝配上紅色變形蟲圖案的領帶，以及同色系手帕——看上去就是個成功的企業家。

路易士先生是從市郊一家小保險公司起家的，如今，他的公司不但居於業界領先地位，而且到去年為止，公司的營業額甚至比對手高出十倍之多。然而，正如年輕人所猜測，路易士先生的成功之路並不平坦。事實上，他在六十歲生日之前，一直面臨嚴重的財務問題。五年前，他還住在貧民區的單房舊公寓裡，且因為負擔不起辦公室租金，只能租用公寓四樓一間空屋的廚房權充辦公室。如今坐在年輕人對面的他，卻已經是全國最大保險經紀公司的負責人。年輕人對於他如何在短期之內創造出自己的事業和財富，感到相當好奇。

「這一切都要從五年前談起，」路易士先生解釋說，「當時我正坐在充當辦公室的廚房裡，想著如何才能改善當時的窘境。那時候我已經快六十歲了，不但沒有存款，還有一堆債務，別人這時候可能都在考慮退休，舒舒服服地安享晚年了。

「我正讀著《時代》雜誌上的一篇文章，文中寫到，只有不到百分之八的男性和不到百分之三的女性能夠在六十五歲之前實現經濟獨立，能夠被稱為富人的，更少於百分之一。這些數據實在令人沮喪。我的狀況看起來簡直毫無希望，我坐在那兒，把頭放在緊握著的雙手上，祈禱能發生什麼事，幫助我度過困境。

「突然，我聽到一個聲音說：『別擔心！事情總會好轉的。』我抬起頭，看見一位東方老人站在房裡對我微笑著。他問我為什麼在廚房中工作，我解釋說，日子實在太艱難了。他點點頭，對我說：『艱難的日子不會一直持續，但是只有堅強的人才能活下去！』

「我們開始聊了起來，他很快就向我提起了財富的祕密。我以前從不曾聽說過這回事，可是老人的話聽起來又頗有道理。他離開之前，遞給我一張寫了十個人名和電話號碼的紙條，然後告訴我說，如果想改變人生、創造財富，就應該去跟這些人聯繫。

「我當然沒有放棄這個機會。我聯繫了名單上的所有人，之後，奇蹟似乎真的發生了——我的人生開始改變。這簡直太不可思議、太不可置信了！這些都要感謝關於財富的祕密。」

「你得到哪一方面的幫助？」年輕人問。

「他們告訴我，我必須為自己目前的窘境負責，也只有我自己有能力去改變這一切。在這些祕密當中，有一個對我意義特別重大，尤其是在我開始對未來失去希望和信心的時候，那就是『信心的力量』。」

「信心？」年輕人問道，「信心和財富有什麼關係呢？」

「當然有關係。」路易士答道，「人生諸事都始於信心。除非有信心，否則無法達成夢想，無法開創事業，也無法創造未來。一旦讓懷疑佔領我們的內心，停止嘗試和放棄就會隨之而來。

「遇到中國老人的時候，我正試著想出改善事業的方法。我唯一想到的，是去參加國家財稅報紙上的一個廣告活動。問題是這樣做有點冒險，因為去參加的費用並不便宜，也不保證一定有效。可是，如果有效的話，回報就相當值得。」

「那你後來怎麼做？」年輕人問道。

「什麼也沒做。」路易士先生回答，「我只是不停地想：『萬一不行的話怎麼辦？』我會因此完全毀了，因為我要向銀行貸一筆錢來打廣告，所以萬一無效，我得花五年時間還債。再說，我有什麼理由認為會成功呢？我以前從來沒有成功過，如何確定我這一次會成功呢？

「後來，名單中的一個人告訴我說，在猶豫、懷疑的時候，你只要問自己一個問題：『你如果知道自己不能失敗，會怎麼做？』我想，如果確定不能失敗，我會去銀行貸款，前去參與廣告活動。接著，那個人說：『這就是你的答案。當你知道不能失敗，就會勇往直前。』那個人寫了一張紙條給我，裡面只有讓我留下很深刻印象的一句話，就是：『要勇敢，強大的力量將會助你一臂之力。』

「勇敢！我以前從不曾勇敢過，行動之前總是習慣性地被害怕和懷疑阻撓。事實上，我想這就是我的事業一直不成功的原因，我總是在必須行動的時候，因為疑慮和害怕而停住腳步。」

年輕人對路易士先生說的話深有體會，因為他知道自己在面對重要抉擇的時候，也總是猶疑不定，這是導致事業無法成功的一種特質。可是，他又能怎麼辦呢？

「你知道嗎？」路易士先生繼續說，「我這輩子總是聽人們說，嘗試過而失敗，總好過根本不曾嘗試。但是以我的經驗來看，我認為許多人真正相信的卻是，最好別去嘗試，嘗試的時候最好成功，沒有人希望嘗試失敗。

「許多人都害怕失敗，事實卻是，你失敗的原因就在於從不嘗試。倘若真的去試試看，你不會完全失敗，因為你至少可以從經驗中汲取教訓、學到東西。很多人因為害怕失敗而不敢冒險，以致錯過創造財富的機會。然而，人生就是一場歷險，不是嗎？我給你看樣東西。」路易士先生說著拿出一首詩，題為「冒險」：

笑，讓自己看起來像個傻子；
哭泣，讓自己顯得多愁善感；
向別人伸出雙手，會讓自己捲入不可知的漩渦；
表露感情，等於揭露自我；
當眾展現想法、夢想，就會被遺棄；
去愛，卻得冒一廂情願的險；
活著，也得冒死亡的險；
期待，有可能落空；
但，冒險是必要的，因為人生最大的危險就是從來不冒險。
一個不冒險的人，將一事無成、一無所有，
最後就什麼也不是了。
人們可以不要痛苦、折磨和悲傷，
但是，不能不學習、感覺、改變、成長、愛和生活。
戴著枷鎖的人是個沒有自由的奴隸，

只有冒險的人才能擁有真正的自由。

「如果要冒險，就必須有信心，是嗎？」年輕人說。

「是的！」路易士先生說道，「我並不是說你凡事都要抱著賭博的心態，盲目的冒險行為是非常愚蠢的，而且無法帶來持久的財富。我的意思是，你要為確定可行的目標去冒險，而這風險是經過衡量、評估的。為你的目標擬定可執行的行動計畫後，就不要再擔心失敗。

「要改變生活，就必須改變自己，就要相信自己具有改變的能力。所有的改變都帶有不確定因素，這是導致風險的原因，但是，除非有勇氣走出第一步，否則你永遠邁不出第二步。」

「可是，如何知道自己的決定正確呢？」年輕人問。

「如果有所懷疑，那跟著你的直覺和決心走吧——即使可能不太符合邏輯或有點荒謬。信心是引導走向夢想的道路，所以非常重要。一旦有了信心，你將會看見奇蹟發生。」

「那麼，該如何塑造信心呢？」年輕人問道，「我從來沒有宗教信仰，也不會禱告，我該怎麼做呢？」

「不需要有什麼特別的宗教信仰，你只需要開放的心胸，無論你要求什麼，上天就會眷顧你的。信心可以透過練習而獲得，也可以被創造。有人告訴我，需要加強信心的時候，只要記得『表現得和真的一樣』就行了。表現得好像你將會成功、表現得好像你有能力達成目標、表現得好像你會安然應對任何局面。當你準備做一件事情時，表現得好像不可能失敗，那就沒有什麼可以阻擋你，你就可以勇往直前邁向目標了。」

「表現得好像真的一樣……」年輕人一邊唸著，一邊寫在筆記本上。

「只有這樣，你才有機會嘗到成功的滋味，漸漸地，你的信心會愈來愈強。你也可以對自己不斷複誦，因為這會影響你的潛意識，從而增強你的信心。當你不斷重複某件事，它就會變成你潛意識的一部分。譬如，我經常反覆告訴自己：『上帝的財富將流進我體內，滿足我的每一個需要和欲望。』『沒有什麼能夠阻止或延遲財富進入我的生命。』『只要堅持，我就可以得到想要的。』『不管我要什麼，都可以在最佳時機和最佳地點得到它。』

「我會每天都對自己重複好幾遍，甚至寫在卡片上，然後放在皮夾裡隨身攜帶，這樣我就可以經常看到它，提醒我自己。老實說，我這輩子學過的最重要的一課就是，如果有信心，你就可以得到想要的任何東西！」

「謝謝你跟我分享這些，」年輕人起身準備告辭，「你真的幫我釐清了很多思路。」

「我很高興能幫你的忙，這……」路易士先生遞給年輕人一張小卡片，說道，「你可能會覺得有幫助。」

卡片上寫著：

「站到邊上。」他說，

他們說：「我們會怕。」

「站到邊上。」他說，

他們站到邊上，

他把他們推了下去……

他們飛了起來。

這天晚上，年輕人在睡覺前又拿出筆記本來復習：

信心的力量

- 猶豫、懷疑的時候，你只要問自己一個問題：「你如果知道自己不能失敗，會怎麼做？」而當你知道自己不能失敗時，就會去做必須做的事。
- 要勇敢，強大的力量會助你一臂之力。
- 記住：「表現得和真的一樣」，你就會成功。
- 相信直覺，跟著決心走。
- 用不斷的複誦來塑造信心（不管什麼事，只要不斷重複，它就會變成你潛意識的一部分）。

看完之後，年輕人起身走到窗邊，他知道自己應該做什麼了。他一定要勇敢，要有信心，要行動。

祕密10

寬厚的力量

年輕人對於這些財富的祕密感到興奮，他第一次感覺到自己擁有創造財富的能力。現在，他經常對自己複誦一些積極正面的建議，在潛意識中增強信心；長久以來所希望得到的，包括財務、專業知識和情緒等方面的目標，也都一一寫出來，然後練習創造意象，讓自己看到將來達成目標的情境。

年輕人最大的夢想是成為一名作家，他不但要寫書，還要寫一些開卷有益的書。當然，他還有別的夢想：想擁有一棟獨立的宅院，有自己的花園，就像他每天早上在公園看到的別墅一樣；他還想擁有足以供養自己和家人的財富。

他以這些夢想為目標，寫下一份詳細的行動計畫表，還做了一份預算控制計畫；他通知了幾個債權人，告訴他們自己目前的財務狀況，坦承自己雖然沒有能力馬上還清所有債務，但願意承諾每月分期付款，直到償清債務為止；他每個月都會抽出百分之二十的收入作為清償債務之用，而所有債務人也都很樂意接受這樣的分期還款方式，因為年輕人願意以開放誠實的心態面對問題，不像其他人一樣避而不見、毫無誠意。

年輕人還把收入的百分之十存入銀行，以備將來投資之用。這樣一來，他確實必須節衣縮食，減少一些無謂的開銷。不過，這些都是小小的犧牲，卻可以為自己的未來創造更多財富。

他明白，如果想在人生中創造源源不絕的財富，就必須誠實地面對每一件事。他還記得布魯克先生說的話：「人生就像迴力棒，不管你做了什麼，結果最後都會回到你自己身上。」

為了學習更多專業知識，他晚上去進修寫作和企管課程。現在，和名單上的大部分人見面之後，他終於增強了信心，相信這些財富的祕密對他們有效，對自己當然同樣有效。他知道，不論想得到什麼，他都一定可以達到目的。

現在名單上只剩下一個人尚未拜訪，年輕人非常期待見到他，因為他急於知道財富的最後一個祕密是什麼。

吉爾佛列．李佛的住處位於市中心最豪華的一區，是一棟四層樓建築。這一帶的住宅依林蔭而建，是富豪人士居住的高級住宅區。年輕人在最近幾個星期裡已連續拜訪了好幾處漂亮住宅，不過李佛先生的住處算是最高級的，是一棟豪華的十八世紀白色建築物。

房子內部看起來就像室內設計雜誌上所刊登的精美照片，顯然是由專業設計師特別設計的，裝潢講究，傢俱看起來都像古董一樣。

一名僕人在門口迎接年輕人，並領他到會客室。這房間裡有三面書牆，書籍從地板滿滿地排列到天花板；第四面牆則設置了一個傳統大壁爐，微小的火焰正在暖暖地燃燒著。壁爐上方掛著一幅非常漂亮的油畫，畫中手指殘缺的一雙手交握著，彷彿是向蒼天祈禱的姿勢。

此時，房門打開了，一位滿頭白髮、眼睛湛藍的長者站在門口。他親切地和年輕人握手，並自我介紹——他就是李佛先生。

「你剛剛在看這幅畫，是嗎？」李佛先生看著畫說。

「是的，」年輕人說，「我對藝術不怎麼在行，不過這幅畫似乎隱藏著什麼……」

「這幅畫的背後有一則很美的故事，」李佛先生說，「這是一個真實故事。大約五百年前，在德國紐倫堡附近的一處小村莊裡，一個有著十八個小孩的家庭，父親叫亞伯契・杜爾，是個金匠，一天要工作十八個小時才能養活所有孩子。其中兩個小孩很有藝術天分，也都夢想有朝一日能成為藝術家，可是他們都很清楚，父親的經濟能力無法讓他們去紐倫堡就讀藝術學院。所以，這兩個孩子相約以擲硬幣來決定命運，輸的留在家鄉的礦區工作，賺錢資助另一個去藝術學院就讀。四年之後，一個從藝術學院畢業，兩人再交換，換另一個去讀書，先畢業的必須賺錢提供學費——不管是賣畫賺錢，還是到礦區去工作。

「擲硬幣的結果，弟弟贏了，於是他先到紐倫堡念書，哥哥亞伯特則留在礦區工作。弟弟的才華果然受到肯定，很快地，四年後他畢業並回到了家鄉。慶祝晚宴結束之後，他對著親愛的哥哥舉起酒杯：『亞伯特，沒有你的犧牲，我不可能成功。』他說了一些感謝的話，最後說：『亞伯特，我親愛的哥哥，現在輪到你了，你可以到紐倫堡去，去追求你的夢想，我會照顧你的。』

「全家人都為亞伯特的犧牲，和他即將前往紐倫堡尋夢而舉杯慶祝時，亞伯特卻哭了，淚流滿面的他只是重複著：『不……不！不……』所有人都安靜下來，亞伯特抹去眼淚，哽咽地說：『已經太遲了，我不能到紐倫堡去。看！』他舉起那雙畸形、患有關節炎的手。亞伯特的手因為長年在礦區工作，每個關節都扭曲變形了，他說：『我連舉起酒杯都痛苦無比，更別說握畫筆了。對我來說，已經太遲了。』

「弟弟後來成為一個很有名的畫家，很多作品被世界各地的美術館和博物館所收藏。可是，他永遠不會忘記，自己的成功來自於哥哥的犧牲。為了永久紀念哥哥，他創作了這幅畫。你很難找到一幅畫會蘊藏著這麼多的愛、痛苦和眼淚。他把哥哥手上的每一寸——每一個傷痕、每一分痛楚，都如實地複製下來。這雙哥哥的手反映出藝術家的愧疚和罪惡感，似乎在祈禱謝恩，同時也在乞求寬恕。

「我把這幅畫掛在這裡，是因為我認為，這是我這輩子所學到最重要的一課——許多人都在默默地幫助我們成功。如果有人拒絕看見這個事實，那麼，不論有多少錢、多少部車，或擁有多少財產，都永遠不會感到滿足……除非學會了這最後的祕密——寬厚。」

「寬厚？」年輕人喃喃自語。

「是的！」李佛先生肯定地說，「寬厚是創造財富的基本元素之一，當然啦！如果你只在乎為自己和家人累積錢財，大可以絲毫不存仁厚之心。但假若果真如此，我相信你將永遠無法體會到真正源源不絕的財富。記住！財富不只是金錢和財產，更是你生活的品質。」

「可是寬厚和生活品質有什麼關係呢？」年輕人問。

「你曾經沒有任何動機、理由地幫別人做一些事情嗎？你曾經只因為自己有能力做到而幫助他人嗎？這可以是很簡單的事情，譬如協助老人過馬路或指引迷路的陌生人。」

年輕人點點頭。

「你在做這些事情時，心裡有什麼感受呢？」李佛先生問道，「你會不會覺得很快樂？為自己能夠做一點小小的改變而感到高興？」

「當然會！」

「那如果你過馬路時，忽視了需要協助的路人，又會有什麼感覺呢？」

「我可能會覺得愧疚吧?!」年輕人坦承。

「這就對了!所以,你只要在實際生活中用心練習寬厚,就會開始覺得自己很不錯,並且感覺到自己對這個社會有貢獻。最後,在潛意識裡,你會相信自己是值得獲取更多回報的。」

「這也許會讓你自我感覺良好,可是並不能幫你創造財富啊!」年輕人說。

「你聽說過宗教上的『奉獻』說法嗎?」李佛先生說。

「有。是不是指教友把一些所得捐給教會?」

「對!不過,『奉獻』在宗教上的本義是,人們把所得拿出一部分給需要的人,通常是取百分之十。現在,不只是有錢人會這麼做,而是大家都會拿出錢來奉獻,包括奉獻者和需求者。

「很多神學家討論奉獻的緣由,有人猜測這跟抽稅的道理一樣,有人則認為這是最早的社會福利。但很多人忽略了一點——獲得某種經歷勝於付出金錢。」

「你是說付出者會得到良好的自我感覺?」年輕人問。

「是,這也算。不過,我們付出的同時,其實也在獲得。因為,不論我們做什麼,最終結果都會回到自己身上。這就像生命中的因果輪迴，你不但會因為付出而有所回報，甚至會得到多方面的回報。

「很多年前，我曾經為了生計而奔波勞碌，為了自己的事業而超時工作，可是不管怎麼做，我就是無法突破生活的瓶頸。直到我遇到……」

「一位中國老人。」年輕人接著說下去。

「還會有誰呢？」李佛先生微笑著說，「我從他身上學到了財富的祕密，特別是寬厚的力量。我也曾經為此掙扎、辯解過，因為我無法把錢從口袋裡掏出去。可是中國老人堅持，寬厚其實不會造成任何損失，反而是一條致富之路。

「自然，我不太相信他說的話，直到遇到另一個人，他對我說，當他把所得的十分之一拿去幫助需要的人時，發現自己的財富開始增加。我那時才漸漸相信老人的說法，於是也決定試試看。出乎意料，這麼做竟然真的有效。我對自己愈來愈滿意，工作起來也衝勁十足……而我的收入真的也逐漸增加了。

「到目前為止，我幾乎可以斷定，寬厚的力量對我的人生有著最重大的影響和意義。今天，我有許多財富，除了這棟房子之外，我在巴貝多群島還有一幢別墅。另外，在瑞士還有一座滑雪莊園，我還開一輛勞斯萊斯古董車，總資產超過四億元。」

「你真的認為是寬厚的力量幫助了你？」年輕人問。

「不必懷疑！不過，這當然不是唯一的力量，所有財富的祕密都是功臣。但是，當我開始把收入的十分之一奉獻出去之後，我漸漸感覺到富足，同時，收入也在慢慢增加，機會和訂單開始源源不斷地來找我。你可以說這一切都是巧合，可是你會發現，很多人身上都發生過類似的故事。」

年輕人低頭抄下重點。李佛先生繼續說：「財富有點像肥料，灑下去，便能幫助生長，漸漸地，你就會更富足。付出你的財富跟需要的人一起分享，金錢就會變成一種福祉，然後從各個方面回饋到你身上。」

「不過你得先有能力才行，你必須先自己富足，然後才能幫助別人，不是嗎？」年輕人接著說。

「很多人會同意你的說法，」李佛先生說，「可是人生的規則並不是這樣的。你認為賺一百萬然後付出十萬，會比賺一萬然後付出一千塊更容易嗎？」

「嗯……可能不會。」年輕人咬著下唇，想了想說。

「如果你把付出當成一種習慣，就會發現，你在潛意識裡將會感到富足——就是比實際更富有的感覺。如此一來，就會有源源不絕的財富流入你的人生。道理就來自這幅畫。」李佛先生指著壁爐上方的油畫說：「我們無法獨自成功，不論你是何人、來自何處，一定會有人在身旁協助你成功。所以，讓這樣的規則循環下去是非常重要的。」

當晚，年輕人重新整理了他的筆記：

寬厚的力量

- 沒有旁人的協助，或不願幫助他人，你的人生就很難富足圓滿。
- 幫助別人，就等於幫助自己。
- 試著把十分之一的收入送給需要的人，你將得到多方面的回饋。
- 把付出當成一種習慣，就會有源源不絕的財富流入你的人生。

尾聲

年輕人輕輕關上身後的大門，以免吵醒沉睡中的妻子和孩子們。黎明之前，天色未明，他穿著運動夾克往公園方向走去。自從遇到那位神祕的中國老人以來，他就養成了早晨散步的習慣。

走著走著，他腦海中浮現出他們最初相見的情景。五年的時光裡，發生了許多事，到現在他還是感到不可置信，他真的很難相信自己生命中發生這些改變。

遇到中國老人之後的一年裡，年輕人合理分配了所得，並額外地存下百分之十的收入，以備投資之用。

六個月後，他辭掉工作，在家中成立了自己的小工作室。他發行了一份小刊物，專門為在家工作者提供各項資訊。他首先想到自己創業的時候，發現很難找到這方面的參考資料，因此也想到，在家工作的人愈來愈多，但他們所瞭解的資訊卻很少。於是他擬出一個計畫，除了調查在家工作者的社群之外，還發行了一份在家工作指南，包括電腦使用、稅法問題、法律事務，以及在家工作者需注意的其他各項內容。

這份刊物發行得還算成功。十八個月之後，他完成了自己的第一本書。接下來三年內，又陸續出版了六本書，其中五本還上了暢銷書排行榜。

與此同時，他和一位美麗的女子相遇了；兩人戀愛，然後結婚，這位美麗的女子現在是他兩個孩子的母親。如果有人問他什麼是真正的財富，他會說，家庭是他生命中真正的財富，其他都是次要的。現在即使沒有金錢、沒有房子、沒有其他財物，他還是會認為自己是個富有的人。他會說：「畢竟，家庭給我的愛、幸福和快樂，是金錢買不到的。」

人們有時候會問，他是如何做到的？而那些他在落魄時就相識的朋友們，對此更是好奇。他遇到什麼幸運的事了？中了彩券？他告訴朋友們關於遇見中國老人的經過，以及財富的祕密。很少人相信他所說的故事，但還是有一些人相信他，也試著改變自己的觀念和態度。這些人後來不但收入漸漸增加了，更重要的是，他們告訴年輕人，他們也和他一樣，竟發現了比金錢更有價值的東西——不是黃金、鑽石，而是面對人生的不同態度。不久前，他們還在感歎自己生不逢時，是時代環境的犧牲品，如今，他們卻成了自己命運的操控者。對年輕人而言，知道自己有能力幫助他人，那種感覺是最好的。任何體驗過這種助人為樂感覺的人，都會覺得自己是最富有的。

每天早晨他來到公園的時候，都希望能夠再見到那位中國老人。他想要告訴老人，自從遇見他，並學會了財富的祕密之後，他的生命發生了多麼重大的變化；他要感謝老人為他所做的一切。但是，今天早晨就跟過去的每個早晨一樣，他沒有再看到中國老人的影子。

太陽升起了，當他回家時，天空呈現一片清澈的藍。他拿起早報，到廚房燒開水，準備為妻子煮一杯茶。突然，電話鈴響了，他嚇了一跳。才早晨七點鐘，有誰會這麼早打電話來呢？他拿起聽筒，一個男人的聲音：「你好，我叫亞諾．班克斯，很抱歉這麼早打電話給你。我剛剛碰到一位中國老人，他給了我你的名字和電話號碼，說你可以告訴我一些關於……」

「財富的祕密。」年輕人接著說下去。

「是的，財富的祕密！」話筒另一端說。

「當然，我非常樂意！」年輕人的聲音不禁流露出一股歡欣快樂。

財富的祕密箴言

- 富人和窮人的最大不同，不在於他們有多少財產，而在於他們對自己和金錢的信念是否夠清晰。
- 勝利者，是那些認為自己會勝利的人！
- 要找到正確的答案，得先提出正確的問題。《聖經》說：「去尋找，你就會找到；去問，你就會有答案。」

關於你的財富的祕密

你也在尋找那位中國老人嗎？

其實，他已經出現了，

並且交給你一個任務——

寫下你關於財富的祕密，

並將之散播開來！

國家圖書館出版品預行編目資料

財富的祕密／亞當・傑克遜（Adam J. Jackson）著；周思芸譯. --——初版. ——
臺北市：商周出版：家庭傳媒城邦分公司發行, 2009.01
面；　公分. ——（View point；25）
譯自：The ten secrets of abundant wealth
ISBN 978-986-6571-84-8（平裝）

1. 成功法 2.財富 3.個人理財

177.2　　　　　97023034

View point 28

財富的祕密

The Ten Secrets of Abundant Wealth

作　　者／亞當・傑克遜（Adam J. Jackson）
譯　　者／周思芸
企畫選書人／彭之琬
責 任 編 輯／黃靖卉

版　　權／林心紅
行 銷 業 務／蘇魯屏、賴曉玲
總　編　輯／彭之琬
總　經　理／黃淑貞
發　行　人／何飛鵬
法 律 顧 問／台英國際商務法律事務所 羅明通律師
出　　版／商周出版
台北市104民生東路二段141號9樓
電話：(02) 25007008　傳真：(02)25007759
E-mail：bwp.service@cite.com.tw
發　　行／英屬蓋曼群島商家庭傳媒股份有限公司 城邦分公司
台北市中山區民生東路二段141號2樓
書虫客服服務專線：02-25007718；25007719
服務時間：週一至週五上午09:30-12:00；下午13:30-17:00
24小時傳真專線：02-25001990；25001991
劃撥帳號：19863813；戶名：書虫股份有限公司
讀者服務信箱：service@readingclub.com.tw
城邦讀書花園：www.cite.com.tw
香港發行所／城邦（香港）出版集團有限公司
香港灣仔駱克道193號東超商業中心1樓_ E-mail:hkcite@biznetvigator.com
電話：(852) 25086231　傳真：(852) 25789337
馬新發行所／城邦（馬新）出版集團【Cite (M) Sdn. Bhd. (458372U)】
11, Jalan 30D/146, Desa Tasik, Sungai Besi,
57000 Kuala Lumpur, Malaysia
電話：（603）90563833　傳真：（603）90562833

封 面 設 計／黃心磊
排　　版／極翔企業有限公司
印　　刷／韋懋印刷事業有限公司
總　經　銷／聯合發行股份有限公司 電話：(02) 29178022　傳真：(02) 29156275

■2009年01月01日初版
■2012年04月12日初版8.5刷
定價99元
Printed in Taiwan